# 科学の最前線を切りひらく！

川端裕人 Kawabata Hiroto

★――ちくまプリマー新書

347

# 目次 * Contents

日本で発掘された絶滅哺乳類化石／日本に最初にやってきたゾウたち／ゾウの楽園が花開く／ゾウが多様だった時代にはサイもいた！／謎の絶滅大型哺乳類デスモスチルス／束柱類は謎だらけ／「原始的」ではなかったアマミノクロウサギ／ウサギを研究する醍醐味／巨獣たちはなぜ消えたのだろう？／日本での絶滅には二つのフェーズがあった

この本は、ナショナル ジオグラフィック日本版公式サイト https://natgeo.nikkeibp.co.jp/ の連載「「研究室」に行ってみた。」から抜粋、再編集したものである。

# はじめに

「研究者」という存在に魅せられている。

ここで言う研究者とは、科学的な方法に基づいた探求を行い、これまで誰も知らなかったことを解き明かす人たちのことだ。

新たな知識は、いつも、驚き（いわば、センス・オブ・ワンダー）に満ちている。と同時に、今そこにあるのにまだ知られていない課題に気づかせてくれることもあり、単に新知識を寿《ことほ》ぐだけでは済まない場合もある。

いずれの場合も、科学的な探求は、きっちりと証拠を積み上げて、議論をつくした上で、はじめて成果として認められるものだ。そして、ひとたび論文などの形で発表されたあとも、常に議論の対象になって、知識は積み重なったり、更新されたりしていく。そういった営為は、時々、後戻りもありつつ、人類の知的活動の中で、最良のもののひとつだとぼくは感じている。

さて、ぼくは、小説を書くことを主たる仕事にしてきたのだけれど、二〇一一年から一、二カ月に一回のペースで、「研究室」を訪問して、紹介記事を書く機会に恵まれてきた。毎回、数時間、たっぷりと話を聞き、文字数にすると二万字前後、本でいえば数十ページ分に相当する読み物に仕上げる。

掲載されるのは、世界中の三六カ国語で発行されている科学系（地理学系）雑誌『ナショナルジオグラフィック』（通称、ナショジオ）の日本版ウェブサイトで、「「研究室」に行ってみた。」という連載タイトルがついている。これまでに訪ねた研究者は七〇人を超えた。多くの人たちに楽しんでいただけているようで、また、ぼく自身の本業にも、インスピレーションを与えてくれることも多く、個人的にもとても実り豊かな仕事だ。

本書『科学の最前線を切りひらく！』では、そんな中から六つの研究室訪問をピックアップしてまとめた。自然と「新しい知識とセンス・オブ・ワンダー」「今、そこにある課題」に対して、手に入る様々な手段を講じて迫る様を垣間見せてくれる事例が揃《そろ》ったと思う。

カナダ国立自然博物館の宮下哲人さんは、かつての恐竜少年だった時代からどんどん視野を広げて技量を深め、もっと大きな「脊椎動物の起源」をテーマに据えた。これは生命進化研究のテーマの中でも特大の謎のひとつであり、つまり、宮下さんの探求は、恐竜を入り口にして普遍に至る物語だと言える。

気象庁気象研究所の荒木健太郎さんは、映画『天気の子』にも本人役として登場し「雲愛」を公言してやまない軽やかな印象の雲研究者だ。その半面、実を言えばハードな数理的方法を駆使する研究スタイルを持つ。そして、雲の科学、雲を愛《め》でる楽しみ、そして、防災をひとつながりのものとして提示してくれる。

「美《ちゅ》ら海《うみ》水族館」と併設される沖縄美ら島財団総合研究センターの佐藤圭一《けいいち》さんは、四億年にわたる進化の中で多様化した「繁殖様式のデパート」サメの繁殖生理を解き明かす。もう驚きの連続で「センス・オブ・ワンダー」が極まりつつ、なにか世界観が変わるようでインパクトを感じてしまった。

脳科学は、今をときめく注目の分野であるだけに、いい加減な俗説も流布する。そんな中、東京大学の四本裕子さんは、みずから「地味」だという基礎研究を積み上げる。飛躍せず、慎重な積み重ねを重視した研究の結果、明らかになったことは……やはりものすごく驚きに満ちている。ぜひ、本文で確かめてほしい。

東京農工大学の高田秀重さんは、近年日本でも話題になるようになったマイクロプラスチック汚染の問題にいち早く気づき、警鐘を鳴らしてきた。実験室と現場を行き来する「フィールドの化学者」という研究スタイルがもたらした知見は、人類の未来を照らす。

国立科学博物館の名誉研究員、冨田幸光さんは、ゾウやサイがかつて日本列島にいた時代を俯瞰《ふかん》する。環境変動と進化や適応というテーマは、実は気候変動の時代に生きる我々にとって、示唆するものが大きい。


以上、まったく別々の機会に別々の文脈で話をうかがった六人の研究者をここに紹介できるのは、とてもうれしい。ものすごく広いはずの科学の営みの中で、たまたまぼくが出会った研究者たちは、本当に魅力的で、それぞれの探求を少し追体験するだけでも、研究する醍醐《だいごみ》味の片鱗《へんりん》を味わえるはずだ。結局、人って知りたがりなのだし、そこにとことん正直なのが「研究者」なのだ。

そして、究極の知りたがりたちが明らかにした知識は、まわりまわって、ぼくたちが未来を思い描く際に背景にある「世界観」に大きく効いてくる。

研究の現場において、突き抜けるような勢いで探求する研究者たちの物語を、読者と共有できればさいわいだ。

二〇一九年一二月

川端裕人

# 恐竜から魚類まで、脊椎動物の起源を追う

宮下哲人

## みやした・てつと

1986年、東京都生まれ。博士（Ph.D）。2009年、カナダ、アルバータ大学を卒業。2017年、同大学で博士号を取得。アメリカ、シカゴ大学フェローを経て、2020年4月よりカナダ自然科学博物館の研究員に赴任予定。恐竜好きが高じて16歳で単身カナダに移り住み、当時ロイヤル・ティレル古生物博物館の学芸員だったフィリップ・カリー博士のアシスタントとして学生時代を過ごす。近年は脊椎動物の進化を主なテーマとし、古生物学と発生生物学の両面から研究を行っている。

宮下哲人さんは、一九九〇年代、映画「ジュラシック・パーク」に象徴される一九九〇年代の恐竜ブームのときに幼少期を過ごした元「恐竜少年」だ。まるで人生を早回しするかのように、高校生のときに恐竜化石の発掘と研究の世界的センターであるカナダ・アルバータ州に単身で留学し、その後、アルバータ大学で古生物学者として立った。研究テーマには、恐竜にとどまらず、脊椎動物の「ボディプラン」を掲げる。これは、魚類、両生類、爬虫類《はちゅうるい》、鳥類、ぼくたち哺乳類を貫く、とんでもなく大きな広がりを持った研究課題だ。宮下さんは、まずは化石を見るトレーニングを受けてきたわけだが、その後、動物の胚《はい》が様々な組織に分化していく様を観察する発生学的な方法を取り入れ、さらに、単に形態だけでなくて、ゲノム科学の知識と方法を活用して研究を進めている。挑戦したいテーマがあれば、その時点で使うことができる最良の道具を求め、新たな勉強や技術習得を厭《いと》わず……というやり方は、これからの研究人生をかけて大きな目標に挑んでいく宮下さんの意気込みを示している。その熱量と勢いをまずは感じ取っていただければと思う。

琥珀の中にある羽毛に覆われた恐竜の尾。（「世界初、恐竜のしっぽが琥珀の中に見つかる」より）（PHOTOGRAPH BY LIDA XING）

## 恐竜少年が「脊椎動物の起源」に挑む

世界中の三六カ国語で発行されて八五〇〇万人もの定期購読者がいる科学系（地理学系）雑誌『ナショナルジオグラフィック』のウェブ版では、毎年年末にその年の「科学ニュースベスト」を選んでいる。そして、二〇一六年の「ベスト6」には、古生物学関連のニュースが二つ含まれていた。

ひとつは、「琥《こ》珀《はく》から恐竜のしっぽを発見」。ミャンマーの市場で見つかった九九〇〇万年前の琥珀の中にコエルロサウルス類の小型恐竜の尻尾が入っており、軟部組織や羽毛まで残っていたというものだ。コエルロサウルス類は、ティラノサウルス類や現生の鳥類を含む系統。これほどまでに保存状態のよい尻尾と羽毛が琥珀

マキモサウルス・レックス。見つかっている部位（骨）は白で、近縁種を元に復元した部分は黒のシルエットで示されている。左下は大人のダイバー。
図版提供：宮下哲人

に密封されて現代に届けられるのははじめてのことだ。

もうひとつは、「史上最大の海生ワニ」マキモサウルス・レックスの発見。チュニジアの砂漠から頭骨だけでも一・五メートル、体長一〇メートルもある、一億二〇〇〇万年前の巨大な海生ワニの化石が発掘された。ただ巨大なだけでなく、ジュラ紀末に起きたとされる海生爬虫類の大絶滅をざっと三〇〇万年も生き延びた海生ワニとして注目を浴びた。

これらのニュースは学術誌に論文として発表された内容にもとづいている。

前者の論文の筆頭著者は、中国地質大学のリダ・シン（邢立達 Lida Xing）博士。後者は、イタリア・ボローニャ大学のフェデリコ・ファンティ博士だ。双方とも、新進気鋭の若手研究者で、アカデミックな場で非常に生産的な活動を繰り広げている。「今をときめく」という形容が似合う。

そして、論文の共著者を見ていくと、一人だけ、両方ともに同じ名前があることに気づく。

Tetsuto Miyashita, Department of Biological Sciences, University of Alberta.

テツト・ミヤシタ。

あきらかに日本の名前だ。それもカナダのアルバータ大学。

実は、この名前を見た時点でニヤリとした人もいるのではないかと想像する。日本の恐竜ファンの中でもかなりコアな古参は彼の名前を知っている。いや、それどころか、宮下さんのことを自分たちが世界に送り出した「日本代表」とすら思っているかもしれない。かつて猛烈な知的好奇心と早熟の論理能力を持った「恐竜少年」として知られた存在で、二〇〇二年、高校生の時に単身カナダへと渡った。以来、テツト・ミヤシタの名が時々聞こえてくると、「がんばれー」と遠巻きながら声援を送ってきた人は多い。

ぼくにとっては（一部の恐竜ファンにとっても）「あの宮下さん」なのだが、ほとんどの人にとっては初見のはずなので、もうちょっと客観的な指標として論文検索をしてみると、「ベスト6」に選ばれた二〇一六年までの時点で、ざっと二七報がヒットした。

二〇〇九年の「高緯度地域で子育てをした恐竜」の論文はとてもよく引用されており、

「原始的な角竜」やティラノサウルス類といった名のしれた分類群の恐竜も目につく。「よろい竜の頭の内部構造」では、掲載誌の表紙を飾った。これらはすべて、地元アルバータ州産の恐竜だ。

近年は活動範囲が広がって、二〇一五年には、「中国雲南省で発見されたジュラ紀後期の竜脚類（首の長いいわゆるカミナリ竜）チージャンロン」があり、二〇一六年には、最初に話題にした「琥珀から恐竜のしっぽを発見」（ミャンマー）、「史上最大の海生ワニ」（チュニジア）などが続く。

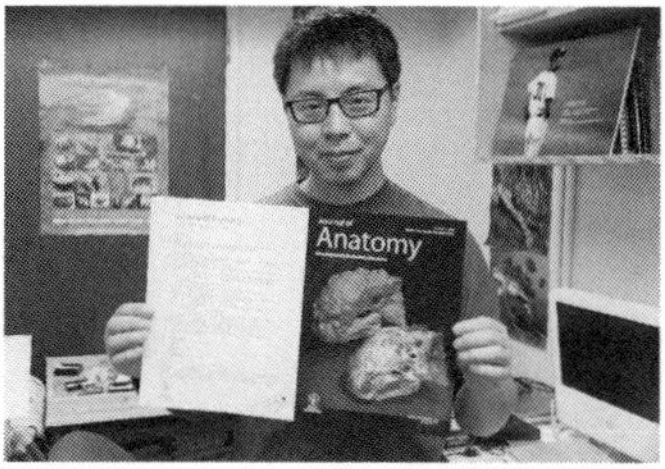

自分の論文の画像が使われた表紙を手にする宮下哲人さん。

かなり精力的な仕事ぶりだ。

ぼくは、二〇一五年の竜脚類の仕事の後くらいから、ずっと宮下さんの話を聞きたいと思っていたわけだが、今回、願いがやっとかなった。

宮下哲人。アルバータ大学生命科学科所属（その後、シカゴ大学での博士研究員を経て、二〇二〇年四月からはカナダ自然博物館の研究職である〝Research Scientist〟に赴任する予定）。

高校一年生の時からカナダに渡り、大学学部生時代に論文デビューして以来、アカデミックな活動を繰り広げ、専門的な業績を積み上げてきた。取材は、二〇一七年、博士号を取得する直前の時期、宮下さんが帰国した時に行った。

最初の話題は、やはり大型竜脚類からいこう。

宮下さんが記載論文を書いて新種として報告したチージャンロン（チージャンの竜）は、体長一五メートルほどの草食恐竜だ。はたしてどんな生き物だったのだろう。

「竜脚類でも特別に首が長いマメンキサウルス類というグループです。体の半分が首なので、掃除機みたいなものを想像してください。これ、中国の重慶近郊で建設工事中に化石が見つかったんですよね。そのために地元で博物館まで建てていて、僕はそこに研究をしにいって新種だと明らかにしました。チージャンロンの細かい特徴でいえば、首の可動域が狭い。首が長いにもかかわらず、結構ガチガチに固めてあって首が動かしにくい恐竜ですね」

マメンキサウルス類は、ジュラ紀のアジアの地層からよく出てくる竜脚類で、とりわけ首が長い。体の半分が首という、ちょっとありえないプロポーションをしている。草食恐竜なので、たくさん食べなければならなかっただろうから、胴の部分を起点にしてそれこそ掃除機を左右に振るように大きな面積をカバーして、届くかぎりの葉を食べていたというのが、よくある解釈だ。

しかし、チージャンロンは、首の左右の可動域が、他の竜脚類に比べて狭かった。異形ともいえる長い首をしっかりと支持する構造（たとえば関節の固め方）と、長い首を持つことによる効率性とのせめぎあいの中で、チージャンロンなりの最適解が「ガチガチ」寄りだったということで、その背景にどんな環境があったのか興味深い。

宮下さんの研究では、マメンキサウルス類の系統関係や進化史にかかわるテーマを中心に検討している。

「ジュラ紀のアジアって、孤立した特殊な生物環境、古環境で、特に草食恐竜に限っていえば、結構固有の分類群が出てくるんです。そのうちの最たるものがマメンキサウルス類です。中国南部の、前期・中期ジュラ紀ぐらいの地層からかなりの数が発見されているんですが、後期ジュラ紀になるとほとんど見つからない。そして、白亜紀になると、ティタノサウルス類という別の系統の竜脚類が入ってきます。で、僕らが報告したチージャンロンは、後期ジュラ紀で、これまであまり見つかっていなかった時期です。これが出てきたことによって、マメンキサウルス類は恐らくアジアが孤立していた時代に固有の進化を遂げて、ティタノサウルス類が白亜紀になって入ってくるまでは絶滅することもなくずっとそのまま存続していたといえるわけです」

さらにその後、二〇一九年三月、アフリカ・タンザニアの後期ジュラ紀の地層から、アジア以外の大陸からははじめてのマメンキサウルス類が報告された。その際には、「アジアが孤立していた時代に進化したマメンキサウルス」がいかにしてアフリカに到達したのかと、新たな謎が生まれている。

こう説明されると視野が広がる。見栄えのする巨大恐竜を愛でるのみならず（それだけでも充分に楽しいが）、ジュラ紀から白亜紀にかけてのアジアの古環境やら、超首長恐竜であるマメンキサウルス類の系統や進化史に思いをはせる。時空を超えて意識がぱーっと広がっていく。宮下さんはこうやって研究者たちが描く巨大なビジョンの一部をになっているのだ。

竜脚類という巨大な恐竜の標本と向き合って、観察し、測定し、つまりは「対話」して、新種を記載したり、系統関係や進化史を鮮やかに描き出す。こういった営みは、やはり「すべての恐竜ファンの夢」だと思うのだ。それこそ「恐竜発見物語」的なノンフィクションに出てくる伝説的な恐竜ハンターやスター研究者たちにのみ許されてきたことではないだろうか。日本から海を渡った古生物研究者がまさにそれを行っているわけで、ぼくは宮下さんの存在をやはり、ぼくたちの「チャンピオン」のように感じる。

## 博士課程ではヌタウナギとヤツメウナギ

これは宮下さんが博士課程の学生だった時代の仕事だ。

では、その頃からすでに取り組んでいたはずの博士研究とはどのようなものだろうか。博士課程の学生が発表する論文は、のちに博士論文の一要素として組み込まれていくものだが、宮下さんの場合はどうか。

「初期の脊椎動物の進化というテーマで書きました。脊椎動物というのは、魚から哺乳類に至るまでそうですし、つまり、僕たちが日ごろ食卓で食べるようなサンマとかアジから人間までが含まれる、背骨を持った動物群ですね。これらすべてに共通するボディプランがあって、それらがどのようにして成立したのか。化石記録だけでなく、発生、つまり胚《はい》を見ることによって解き明かしていこうという論文です」

脊椎動物のボディプラン、つまり、体の基本設計のようなものの成立を、化石記録だけではなく、生きた生物の発生をつぶさに見ることで迫るという。

では、どんな動物、とりわけどのような現生の動物を対象にするのだろう。

「キーになるのは、ヌタウナギとヤツメウナギです。ヌタウナギは、深海のテレビ番組なん

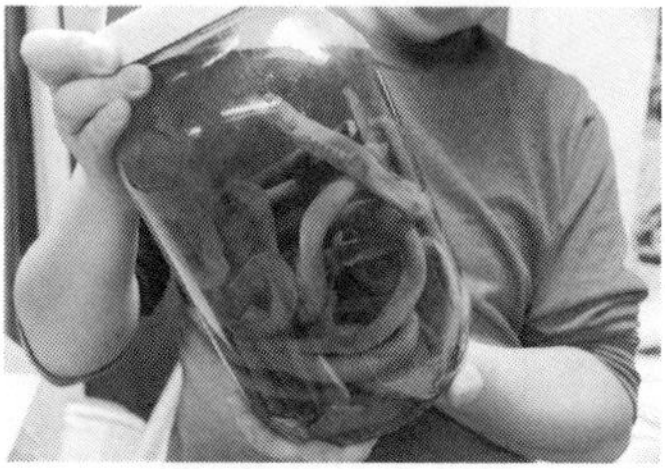
宮下さんの研究室にあったヤツメウナギ（生体）の標本。

かでクジラの死骸に群がったりしている目のないウナギみたいなやつです。ちょっと触ると、ヌタ、つまり粘液がいっぱい出てくる。英語だとHagfishっていいます。で、ヤツメウナギのほうは、日本でも漢方薬などに使われていると思うんですけど、川や湖に住んでいて、口にある大きな吸盤で他の魚に吸いついて血を吸う。両者とも、骨でできた骨格を持っていません。分類上は脊椎動物なんですけれども、骨がないとか、あるいは顎がないとか、他の脊椎動物にある特徴がないということで、これまでひとくくりにされてきた分類群です。無顎類ともいいます」

恐竜ではなく、ヌタウナギやヤツメウナギ！

かなり小さな動物になってしまった。

きっと恐竜の研究で博士になるのだろうと思っていた人は肩透かしと感じるかもしれない。

ぼくも最初はそうだった。

しかし、話を聞くうちに、対象となる動物の身体は小さくても、テーマの方は超巨大だとあらためて気づかされた。「脊椎動物のボディプラン」を問うのは「脊椎動物の起源」を問うことであり、それは、ぼくたち人間、中生代に繁栄しすでに絶滅してしまった恐竜、その生き残りの鳥類、もちろん魚類や両生類を含み、ありとあらゆる現生そして過去の「背骨を持つ生き物」の起源を問うことなのだから。

博士論文でそこにあえて切り込もうとする「蛮勇」にも似た勢いに感嘆する。

これから、日本の「恐竜少年」だった宮下さんが、「脊椎動物の起源」という、とてつもなく大きなテーマに至るまでを聞いていこう。エキサイティングなものになるのは間違いない。

## 恐竜少年が生まれるまで

「僕が覚えている限りでは、きっかけは「ジュラシック・パーク」だったと思います。何かのご褒美で、親に映画館に連れていってもらったんです。でも、親によると、僕は、実は五歳か六歳のときに既に恐竜に興味があったみたいですね。割り箸を骨格にして、新聞紙を巻き付けて、自分で恐竜を作って遊んでいたというんですよね。色まで塗っていたらしくて。僕は覚えてないんですけど、そういう背景もあって「ジュラシック・パーク」で恐竜にはまったんでしょうね」

一九九三年に日本で公開された映画「ジュラシック・パーク」は、当時の子どもたちに実に大きな衝撃を与えた。もちろん大人たちにもだ。ぼく自身の記憶によると、当時、テレビ局勤めで夜勤明けかなにかで平日昼間に映画館に行ったにもかかわらず、とても混んでいて驚かされた。そして、ほとんど眠っていなかったのに、一瞬たりとも眠気を感じる暇がなかった。黎明《れいめい》期の3DCGで生命を吹き込まれ、画面の中で躍動する恐竜たちは、「彼らは野生動物だ」という当たり前のことを気づかせてくれたと感じている。

宮下さんは当時八歳で、強いインパクトを受けた子どものうちの一人だ。その後、巻き起こった空前の恐竜ブームの中で、さらに関心を深めていく。

「つぎに動きがあったのが、「ジュラシック・パーク」から多分三年後、一〇歳の時です。両親がカナダのロイヤル・ティレル古生物学博物館のフィル（フィリップ・カリー）の本を買ってくれたんです。『イラストで見る最新恐竜ハンドブック』というタイトルです。それまでにも、日本で恐竜本っていっぱい出ていたと思うんですけど、この本は毛並みが違っていて、フィルが個人的に発掘をして研究した種類を中心に書いているんですね。彼の研究者としてのエピソードですとか、リアルな研究の様子が伝わってきて、そこが気に入っていました」

フィリップ・カリー博士は、当時、カナダ、アルバータ州ドラムヘラーにあるロイヤル・ティレル古生物学博物館の研究部門の長だった人物で、世界の恐竜研究者の五指に入ると言ってよい。鳥類の起源は恐竜だったという、今でこそ定説になっている考え方を推し進めた立役者の一人だ。この時点で、宮下さんの頭の中では、将来、フィリップ・カリー博士のもとで研究をしたい、という目標が設定される。

もっとも、一〇歳の小学生がすぐに海を渡るわけにはいかない。宮下さんが、いつかカナダへ、という思いを秘めつつ日々を過ごす中で、日本国内でも、背中を押すかのような出会いが数多くあったという。

「ちょうどフィルの本を読んだ頃から、恐竜好きが集まる恐竜倶楽部《くらぶ》というのに参加するようになりました。そして、中学生になってから、倶楽部の会員の方から、ある標本を預かるんです。これ、鉱物・化石専門店で購入したんだけど、どんな種か分からないからちょっと調べてみないかって。そこで僕は、科博の真鍋真先生にコンタクトを取って、ちょっと標本を見せていただけますかとお願いしたんですよ。すると当時、新大久保にあった科博の研究室に招いてくださって、科博にある標本を見せてもらえたんです。それで、比較してみると、多分これはティラノサウルス類だろうと分かったんです」

国立科学博物館の真鍋真さんは、恐竜を含む爬虫類化石、鳥類化石の専門家だ。ティラノサウルス類についても論文を執筆しており、宮下さんがその標本について相談するには、あと付けの感想かもしれないが、はたから見ても最適な研究者だった。

「そうやって比較を進めて、これはティラノサウルス類の、恐らく左後ろ足第四指の三番目の指骨だろうということになりました。そこで、僕、フィルの意見を聞くためにメールを出したんですよ。こういう標本がありますと図を添えて、同定を書いて、これで合ってますかみたいな感じで。それが一番最初のやりとりですよね」

驚くべきことに、日本の恐竜少年から質問されたフィリップ・カリー博士は、きちんと返事を書いてきた。世界中の「恐竜少年・少女」から手紙をもらい、その量たるや「キャビネットいっぱい」になっているほどなのだそうだが、労力をいとわず若者を大切にする人でもあった。宮下さんへの返信は、「図を見る限り間違いない。よくできたね。写真じゃなくて図なのがよいね」ととてもポジティヴな内容だったという。

というわけで、「ジュラシック・パーク」に興奮し、カリー博士の著書に感化された恐竜少年は、とうとうあこがれの世界的恐竜研究者と直接の接触を持った。ふとこれまでを振り返って印象深いのは、宮下さんがその時に必要とするような手助けを周囲の「大人」たちが絶妙なタイミングで行ってきたようにも見えることだ。例えば、「恐竜倶楽部」は老若男女を問わず恐竜好きが集う場として宮下さんを受け入れ、会報への執筆の機会などを通じてモチベーションを高めた。科博の「真鍋研究室」は、当時、日本で恐竜の勉強ができる場がほとんどなかったため、志の高い大学生、大学院生が「本籍」は別に置きながらも研究のために集まる梁山泊《りょうざんぱく》のような状態になっており、宮下さんはかなり年少とはいえ、そのうちの一人として大いに刺激を受けた。こういったことが重なったのは、ある意味、奇跡的なことだった。

### 単身カナダへ渡った高校時代

そこで宮下さんは、再びメールを書く。実は、将来、あなたのところで研究をしたいと。

「それに対するフィルの返事は、まあ、ウェルカムであると。うちの博物館で研究をするなら、面倒をみるよって。でも、英語で、ロスト・イン・トランスレーションって言葉がありますよね。翻訳の過程で失われる意味合い、言葉の含み。ドラムヘラーに来て研究していいよっていうのは、これから大学に行って、大学院生になった段階か、学位を取った段階で来るもんだと思うじゃないですか。でも、中学三年生の僕は、そういうことは考えないんですね。来てもいいって言われたら、それは来てもいいということだというふうに言葉どおりに解釈しますから、もうゴーサインだと思ったんです。で、そこからカナダに留学する計画を具体的に練り始めました。その頃ですよ、川端さんに相談しに行ったの」

ぼくは恐竜倶楽部の例会を通じて宮下さんと知り合って、拙作『竜とわれらの時代』(二〇〇五年)の草稿を見てもらうなど、その時点ですでにかなりお世話になっていた。豊富な専門知識に基づいた的確な指摘や、感受性豊かな感想に舌を巻き、大いに助かったのを覚えている。一方、ぼくは自分などの考えが役に立つのかどうかと迷いつつも、よかれと思いある助言をしたのだが、それはちょっとプライベートかつ込み入っているので省略。一応、役立ったと本人からは聞いている。

とにかく、いったん日本国内の高校に進んだ宮下さんは、一年生の二学期の終わりには、カナダ、アルバータ州ドラムヘラーの高校に編入する算段をつけ、旅立った。自分で現地校の校長に連絡を取り、校長の紹介で「里親」(一八歳以下だったので、現地でガーディアン、つまり「保護者」が必要)を見つけ、本当に行ってしまったのである。

「ドラムヘラーの街に移り住みまして、高校に編入して、その次の段階で町外れにある博物館に行ってフィルに面会したんです。「来てもいいっていうから、来ました。何かさせてください」って。事前に伝えてはあったけど、フィルは絶対、本気にはしていなかったと思うんですよ。だって驚いてましたからね」

そりゃあ、驚くだろう。その時のカリー博士の心中を想像すると、「あわわわわ」という感じだったのかもしれない。

しかし、宮下さんは本気であり、熱心であり、有能でもあった。

カナダ、ロイヤル・ティレル古生物学博物館。

ロイヤル・ティレル古生物学博物館は、一九八五年に開館した比較的新しい施設だが、規模としては世界最大級だ。展示を歩くと、どこを見てもとんでもなく完璧な標本ばかりで目が眩む。バックヤードには、さらにおびただしい数の良好な標本が収蔵されている。恐竜好きなら誰もが羨む環境だ。

高校の放課後、毎日、自転車で九キロ離れた博物館まで通い、化石のクリーニングを学んで手伝い、また、カリー博士の資料の整理や、時には家の掃除や芝刈りまで買って出た。当代一流の研究者の「すべて」を理解して自分のものにしようと、一昔前の書生のような立場になった。世界中をみわたしても、これほど日々の生活が恐竜まみれの高校生はいなかっただろう。

これは、宮下さんの研究者としての日々の始まりでもあった。

## 恐竜発掘と研究の聖地にて

ぼくは宮下さんがドラムヘラーに旅立ってからしばらくは、それこそ「風の噂《うわさ》」レベルでしか消息を知らなかったが、二〇〇七年に米ノースカロライナ州で開かれた古脊椎動物学会でよろい竜についての研究成果を発表したあたりからまた名前を頻繁に聞くようになり、近年はソーシャルネットワークを通じて連絡を取り合うようになった。二〇一六年五月には宮下さんを訪ねて、ロイヤル・ティレル古生物学博物館を案内してもらったことがある。宮下さんはすでに、アルバータ大学がある州都エドモントンに移って久しかったので、宮下さんにとっても「里帰り」の側面がある訪問だった。

展示はもちろん、バックヤードを案内してもらって、度肝を抜かれた。

とにかくでかい。スペースも標本も。

まだ石膏《せっこう》のジャケットに包まれて、クリーニングされないままになっている巨大標本も多

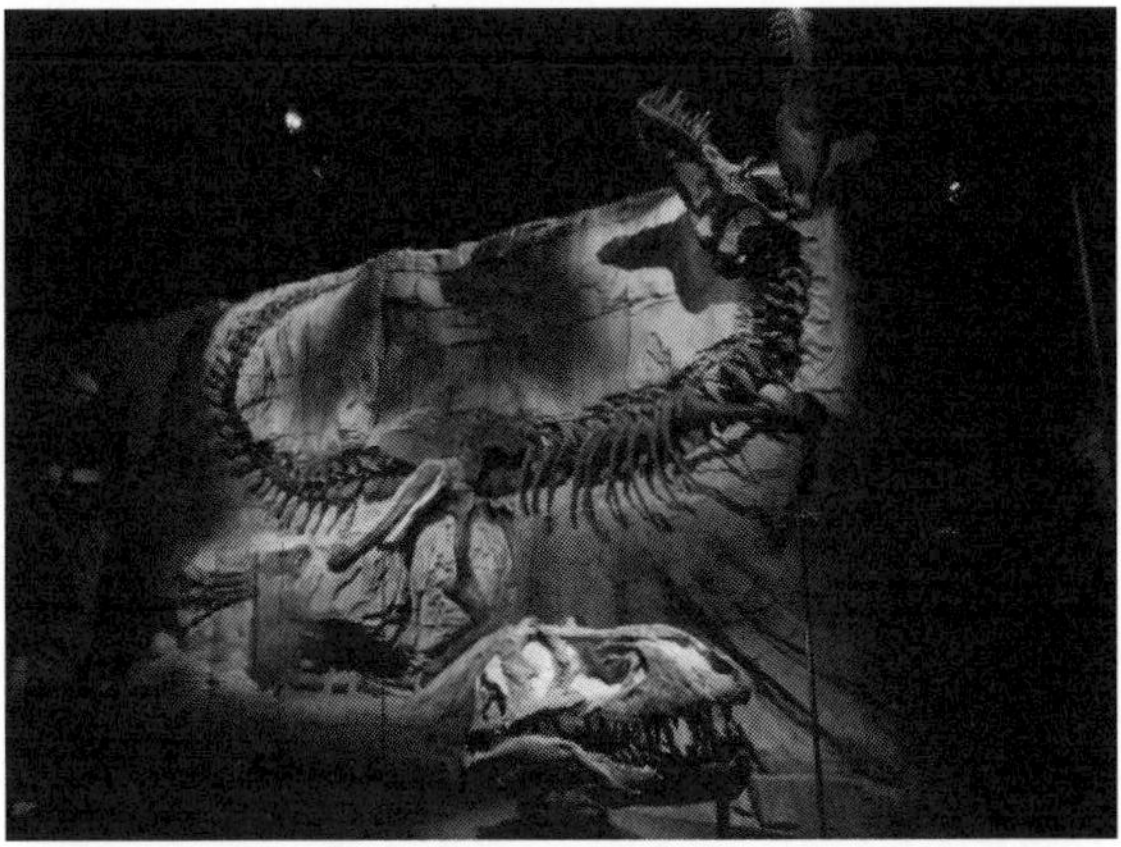

ティラノサウルス「ブラックビューティ」。本物の頭骨は重すぎて壁の全身骨格と一緒に展示できず、床に置かれている。

角竜の展示のひとつであるレガリケラトプスの頭骨。

標本もでかい！

かった。一カ所だけ「これは撮影しないで」という場所があり、とんでもなく完璧なよろい竜の標本が横たわっていた。それが二〇一七年になって「鎧《よろい》をまとった奇跡の恐竜化石」として発表されたノドサウルス類だ。それほどのものが、ごろっと木製のパレットの上にあった。それがロイヤル・ティレル古生物学博物館なのである。

一方で、クリーニング室は、展示側からも見えるディスプレイ効果を意識したもので、歯医者が使うようなローターを使って、化石のまわりの岩の部分を丁寧に削ぎ落としていく作業がいくつも同時進行していた。従業員の健康対策として、粉塵《ふんじん》防護マスク着用、大容量の集塵《しゅうじん》機が個別の作業台に完備という環境だ。

作業をしているのは基本的に従業員だが、ボランティア時代の宮下さんも、しばしばこの中の一人として化石を剖出《ぼうしゅつ》していた。そのせいか、今でもバックヤードを歩くと、「ハイ、マーク」「ダレン、お久しぶり」などと、すれ違う度に会話を交わす。博物館のコミュニティに溶け込んでいる。

## 恐竜まみれの高校時代

高校生の宮下さんの姿が思い浮かぶ。最初はこれぞと思う技官の後を金魚のフンみたいについていってクリーニングの仕方を学び、若手研究者とちょっと生意気に標本について意見交換し、カリー博士の資料を整理したりしつつ、どんどん知識を深めていったのだろう。

研究棟にはちょっとした専門図書室があって、学術誌のバックナンバーが豊富に揃《そろ》い、かつて恐竜ハンターがアルバータ州で活躍した一九世紀、二〇世紀のフィールドノートのコピーが、いつでも閲覧できるようにファイルされていた。ジョージ・スタンバーグや、バーナム・ブラウンといった、恐竜大発掘時代の化石ハンターたちの名をここで見ることになろうとは！　とぼくは興奮してしまうわけだが、コアな恐竜ファンではない人は、たとえば、ティラノサウルスがまさに「発見」されたような時代の伝説的なフィールドワーカーだと思っていただければよい。

宮下さんもこういった「出会い」に興奮しつつ、最新の情報（定期購読している学術論文誌）と、最古の情報（伝説のハンターのフィールドノート）の間を行き来したに違いない。

いまやカリー博士のみならず、スタンバーグやブラウンの「薫陶」を受けた宮下さんは、どんなフィールド体験をしたのだろうか。博物館の立地はアルバータ州南部で、近隣からも化石が発掘される。一七〇キロほど離れた恐竜州立公園は、その名の通り、白亜紀の恐竜発掘の聖地の一つである。

恐竜州立公園も宮下さんに案内してもらったのだが、日本から来た身としては、最初はもう「うわーっ」と頭が真っ白になるくらいだった。ぼくがこれまで訪ねたことがある古生物発掘のフィールドの中でも一番、簡単に化石が見つかる場所だと間違いなく言える。化石を見る目がよくないことを自認するぼくですら、一日のフィールドで一〇個や二〇個の恐竜化石を見つけ、しまいには小さな骨には反応しなくなってまたいで歩いた。

「冬の間はフィールドに行かないので、僕が最初にフィールドに出たのは、来て最初の夏でした。ドラムヘラーの北、レッドディア川をさかのぼる方向に車で四五分くらいのところです。そこは一九一〇年にバーナム・ブラウンが見つけた後、ずっと忘れ去られていたんです。フィルがブラウンのフィールドノートの分析をして九七年に再発見して、ティラノサウルス

アルバータ州の恐竜州立公園。素人でも簡単に見つけられるほど、恐竜の化石がごろごろしている。

類のアルバートサウルスが、二六体から三五体ぐらいの集団で出てきました。その後、一五年ぐらい発掘が続いていて、僕もその一環で行きました。最初は、もう気合い入りすぎてましたね。そのときに僕が掘り出したのって、ただの肋骨《ろっこつ》とか指骨です。今だったら本当にサーッと済ますところを、どのくらいきれいにできるかフィルに見てもらうんだと思って、すごく丁寧にやっていました。ちょっと痛いかんじの学生だったかもしれない」

痛いかんじの学生とはいうが、日本から来て初フィールドとなると、そういうものだろう。ただし、「ただの肋骨とか指骨」というのには、ぼくは猛烈に違和感がある。それは、「ティラノサウルス類のアルバートサウルスの肋骨とか指骨」なのである。日本で同等のものが出たら、新聞の一

カナダに渡った当時の宮下さん。
写真提供：宮下哲人

面どころの話ではない。

宮下さんが飛び込んだ環境は、こういった標本を「ただの」と表現できるくらい恵まれたものだったということだ。

猛烈な熱中と自己研鑽《けんさん》の日々だったと想像する。恐竜研究という志のために、フィールドに出て、化石をクリーニングして、標本を見て、文献を読んで、という一連の流れを身に染み込ませるのと同時に、宮下さんは高校生でもあった。高校から海外の学校に行く羽目になった人は、言葉の面でも文化・慣習の面でも、適応のために非常な努力を強いられる。宮下さんにとってもそれが簡単であるはずもなかったのだが、しっかり乗り切って卒業し、アルバータ大学に入学している。

田舎町であるドラムヘラーから、アルバータ州都で一〇〇万人都市のエドモントンへと移る。奇しくも、長年、ロイヤル・ティレル古生物学博物館の研究部門を率いたフィリップ・カリー博士が、アルバータ大学教授としてエドモントンに移ったのと同じ時期になり、宮下さんはカリー家の一部屋を間借りする形でまさに「書生」になった。

学部生時代、宮下さんは、さっそく研究者として頭角をあらわした。二〇〇七年、世界中の研究者が集う古脊椎動物学会（ＳＶＰ）で発表したのを皮切りに、査読付きの学術誌にも研究成果を発表するようになる。

「北米の大学って結構、そういう人がいっぱいいますよ。例えば数学とか物理の理論系とかは、実験室もいらないですしね。あとは僕みたいに高校時代から博物館でインターンとかやっていて、そのまま研究にかかわるようになったりする人もいますから」

宮下さんは、自分がスタートダッシュに成功したとは思っていないし、むしろ研究の入り口に立った当時のことを「自分が何者で、どんなキャリアを積み上げたいのかも分かっておらず、真っ暗闇だった」とまで述べる。でも、少なくとも日本にいたら、真っ暗闇の中、手探りで苦闘すること自体、もっと後になっただろう。そして、人生は意外と短い。早めにスタートを切ったがゆえに、オリジナルな試行錯誤をせざるをえなかったのだとしても、それがあってこそ今、大きな野望を胸に抱くことができたのだと思う。

## 角竜の研究で論文デビュー

あらためて宮下哲人さんが関わってきた研究を見てみよう。二〇〇九年から一〇年にかけては、本格的な学術論文デビューの時期で、論文が三つ立て続けに出ている。

「実は最初に書いた論文って、最初に出た論文ではないんです。最初に書いたという意味では、アルバータから出た原始的な角竜類のものですね」

たしかに「書いた順」と「出る順」は論文にかぎらずしばしば大きく食い違う。どの世界でも宿命だ。

「その角竜の研究の発端は、僕が大学一年生の頃、別件の研究プロジェクトでロイヤル・ティレル博物館にちょっと里帰りしていたときのことでした。もともとフィル（フィリップ・カリー博士）が所蔵していた標本の棚の中に、一つ「同定不可能」とラベルに書かれているものを見つけたんです。後でフィルに尋ねてみたら、もう二〇年以上前にフィールドで拾ったものなんだけど、誰もそれが何の骨なのか分からないというんです。じゃあ、これを解き明かしてやろうと思って研究を始めました」

角竜というのは、代表的な種類であるトリケラトプスの名を挙げれば分かりやすいだろうか。角があって、頭のまわりに大きなフリルがついている、実に装飾的なルックスの恐竜だ。トリケラトプスの場合、角は三つだが、数は種類によって違う。フリルもさらに大きく立派なものから、ほとんどないものまで様々だ。アルバータ州からは、多様な角竜が発見され、進化を辿《たど》ることができることでも知られている。

宮下さんの論文は、角竜についての新しい知見をまとめた書籍の中に収められたもので、タイトルは「アルバータ州南部のオールドマン層から発見されたはじめての基盤的ネオケラトプス類（原始的な角竜の種類）」

「原始的な角竜って、角がないし、フリルも小さいんです。モンゴルとか中国とか、アジアで結構見つかっているんですけど、北米ではあまりないですね。この問題の骨は非常に分厚くて、ひっくり返すと脳の輪郭とか、眼窩《がんか》のふちの部分とかが残っているので、頭のてっぺんの部分、前頭骨だというのは分かるんです。フィルは、もしかしたら南米に特有の獣脚類で、アベリサウルス類って、頭の骨が分厚くなる種類かもしれないと言っていました。でも、獣脚類の前頭骨って、たいがい薄くて脳の形が結構くっきり出るので違和感がありました。だから、もしかしたら角竜で、それも角がはっきりしない原始的なやつか、あるいは幼体かどっちかだろうと思いました」

言葉だけでは分かりにくく標本の写真を見せてもらったが、ほんとうに断片で、ぼくの目にはとうていここから種の同定などできそうにもない。しかし、古生物学者は残された断片的な情報を引き出して比較して、謎に迫ろうとする。この場合、米モンタナ州で原始的な角竜の研究をしている研究者の論文を宮下さんが読んだことから事が動いた。似たところがあったので、そのキャスト（模型）を送ってもらって、「プレノケラトプスという角がはっきりせずフリルもほとんどない角竜の一種」と結論できた。

二〇年来のミステリーが解けた。

その結論を導くために必要だったのは綿密な計測と比較で、たぶん、ぼくらが古生物学者

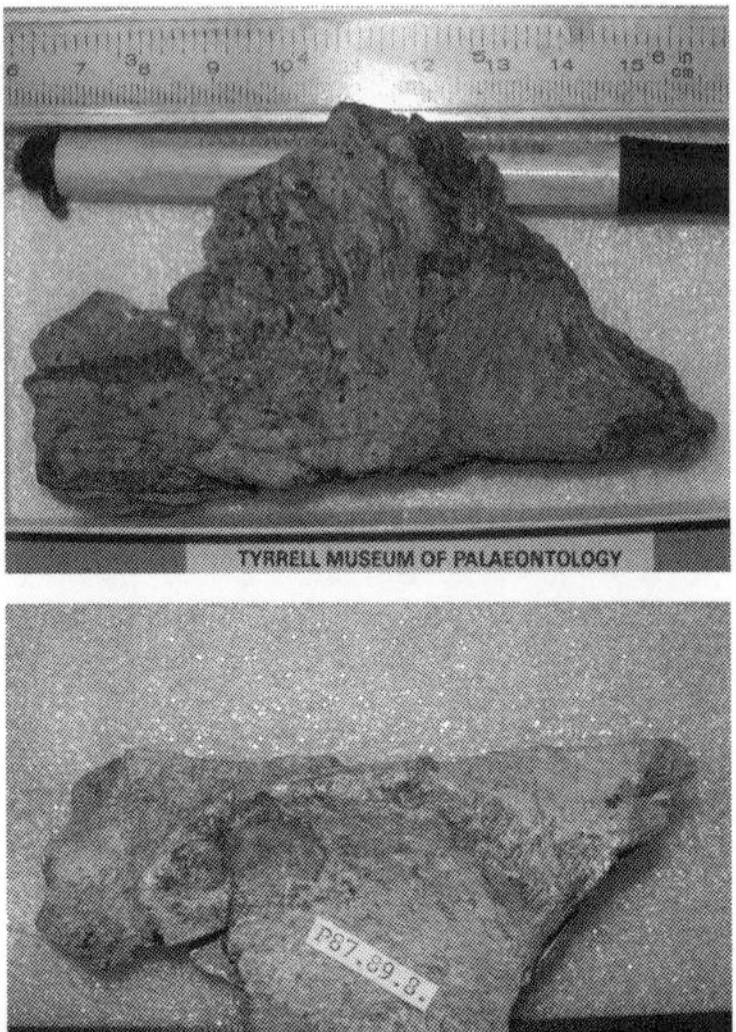

宮下さんが最初に書いた論文で研究した原始的な角竜プレノケラトプスの一種の化石。頭のてっぺんの前頭骨という部分だというのだが、素人目にはさっぱりわからない。写真提供：宮下哲人

の仕事としてイメージするものだ。古典的な研究方法による探求といえる。

## 化石を探して旅した夏

一方で、宮下さんが次に携わったのは、恐竜がいた古環境の復元や恐竜の営巣などにかかわる視野の広い研究だった。「アルバータ州白亜紀後期の高緯度の脊椎動物化石の集積。恐竜の営巣の証拠と脊椎動物の緯度勾配の証拠」みたいなタイトルだ。ちょっと要素が多くて、日本語に訳すとごちゃごちゃになるが、とにかく「アルバータ州でたくさんの脊椎動物の化石を見つけたこと」「恐竜の営巣の証拠を見つけたこと」「そこが高緯度の寒いところだったこと」などがポイントになっている。

論文で扱っている化石の発見の物語を聞いた時、ぼくはなんとなく「アルバータ、化石と青春」みたいなイメージを抱いた。

「学部生の頃にとっても仲のいい友達と二人でおんぼろのバンを借りて、化石の出そうなところを走り回って、掘り当てたのをまとめて報告した論文なんです。みなさんアルバータ州の恐竜というと南部の恐竜州立公園なんかを想像すると思うんですが、僕らが行ったのはグランドプレーリーといって、かなり北のほうなんですよ。エドモントンから車で六時間ぐらいのところです。一緒に行った友だちは、当時大学院生で、その地域の地質をテーマにした博士論文を書いていました。知り合いから三〇、四〇年ものの古いバンを借りて、キャンプをしたり、人の家にやっかいになったりしながら探し回ったんです」

大学生と大学院生のコンビが、おんぼろバンに乗って、化石を掘って走り回る。キャンプをしたり、知り合いの家に泊めてもらったり。どこか絵になる。じわじわ胸に来るようなロードムービーが作れそうだ。

なおこの時の大学院生とは、のちに宮下さんと「巨大な海生ワニ」の論文を出すことになる、フェデリコ・ファンティ博士(現・ボローニャ大学)だ。

では、絵になる一夏の発掘行でいったい何が見つかったのだろう。

「川端さんもアルバータ州にいらっしゃったんで想像できると思うんですけど、歯が一番見つけやすいんです。エナメル層があって光るので。それで、目についた歯の破片を幾つか拾い上げたら、あ、ちっちゃな脊椎がある、ここにもっと小さな歯があると見つけていって、最終的には小指の爪ぐらいの大きさのトカゲの頭まで、完全な形で出てきました。それらを全部まとめて、こういう古環境が広がっていたと復元したわけです」

鍵になる種は、恐竜だった。それも、まだ巣立っていない赤ちゃん恐竜も出てきたからおもしろい。

「孵化《ふか》したばかりで小さな草食恐竜ハドロサウルスの化石が含まれていたんです。おまけに、ハドロサウルスの営巣地でよく一緒に見つかる肉食恐竜トロオドンの歯もいっぱい見つかりました。恐らく営巣地を狙って捕食していたんですね。アルバータの他の場所でも、大体、ハドロサウルスの赤ちゃんの化石が出てくるところでは、トロオドンの歯もたくさん出てくるんですよね」

グランドプレーリーでハドロサウルスの営巣地を発見した初日の「戦利品」。ほとんどはハドロサウルスの成体のものだが、幼体の化石の一部、トロオドンの歯、トカゲの頭骨などが右下のペトリ皿に入っている。写真提供：宮下哲人

ハドロサウルスの幼体の化石をクローズアップで撮影。左上から時計回りに、歯、歯、尺骨、脊椎。脊椎に小さな穴がたくさん空いているのは、まだ骨化が進んでいなかったためと考えられる。写真提供：宮下哲人

結局、そこで拾い上げた化石で、同定可能な標本はぜんぶで二六〇点にのぼった。そのうち八六がハドロサウルスの成体、二〇がその赤ちゃん、三一がトロオドンだった。他にも、小型のティラノサウルス類、ワニに似たチャンプソサウルスや小さなトカゲ、何種かの魚、カメ、哺乳類などが見つかった。これらの動物たちが生きていた白亜紀、ここは曲がりくねった川があって、三日月湖や池があるような水辺の環境だったと堆積学的にも分かっており、そこにこのような構成の動物たちがひとつの生態系をなしていたというのが発見だ。

もう一点、緯度について。

「このあたりは、白亜紀の後期にはかなり高緯度、北緯六五度くらいのところだったと古地磁気の研究から分かっていますので、その高緯度で繁殖していたというのが大事な点です。それだけ高緯度で繁殖できるんであれば、恐らく北米を股にかけるような移動とかはしなくても済んだであろうと。だから、恐竜の行動様式の考察にもつながったんですよ」

緯度が六五度というのは相当なもので、現在の地図ならアラスカとシベリアが一番接近するところ、かつてベーリング陸橋があったあたりに近い。南緯なら南極大陸の一部にかかるくらいだ。夏至の前後には白夜とはいかずとも、完全に暗くならず薄明のまま朝になる緯度でもある。一方、夜が暗くなる時期にはオーロラも見えたはずだ。

薄明とオーロラの高緯度地帯で恐竜が営巣していたというのは、たしかにイメージの喚起力がある。論文自体、かなり引用されているし、また発表当時、メディアにもよく紹介された。

個々の化石を同定することや、新種に出会った場合はきちんと調べて論文として報告することはとても大事で、その積み重ねの上にこういった総合的な仕事ができるようになる。この研究でいえば、ハドロサウルスやトオロドンを小さな歯などから同定できる知識が蓄積されており、宮下さんが熟知していたからこそできた。宮下さんはキャリアの初期に、広い研究の幅を身につけていた。

ぼくはそのように理解するわけだが、ここまで来て、宮下さんが面白いことを言い出した。

「実は、本当に本当の最初の研究はアルバータ州のティラノサウルス類、ダスプレトサウルスなんです。ただ、一番最初にはじめたプロジェクトなのに、まだ終わっていないんです」

これには驚かされた。

最初に書いたように、宮下さんの現在の大きなテーマは、「脊椎動物のボディプランの起源」だ。博士研究では、ヤツメウナギやヌタウナギを題材にした。

これは恐竜研究を一段落させて、もっと大きなテーマに挑んでいるのだと理解していた。

それなのに、まだ最初の研究が終わっていないのだ、と。

「ティラノサウルス類はアルバータから結構いっぱい出てくるんですけど、ティラノをやるんだったら、これを中心にしてやるといいって、フィルが個人的にお気に入りだった標本を僕が大学一年生の時にくれたんです。それがまだ終わっていません。それが終わらなかったがゆえに、博士研究ではヌタウナギやヤツメウナギをやったともいえます」

フィリップ・カリー博士お気に入りの標本というのは、ぼくも見せてもらったことがある。宮下さんと一緒にロイヤル・ティレル古生物学博物館を訪ねた時に、収蔵庫のとある引き出しから「これ、すごい標本ですよ」と引っ張り出してくれたものだ。宮下さんにとっても思い入れのある標本だというのは分かったが、それは師であるカリー博士から研究対象として「譲られた」ものであり、宮下さんも魅了されてきたものだからなのだった。

そして、研究が未完であることが、そのまま今の研究につながっているという謎の発言。ぼくは興味津々《しんしん》である。

## 美しい標本について

TMP2001.36.01と名付けられた標本は、その名の通り二〇〇一年に発見されたもので、カナダで見つかるティラノサウルス類、ダスプレトサウルスの中でも屈指の保存状態の頭骨だ（体骨格は七割方、頭骨はほぼ欠ける部分なく完全な形で見つかっているという）。

「もともとはフィルが何十年もあたためていた構想なんですけど、アルバータ州の南部で見つかるティラノサウルス類のダスプレトサウルスには恐らく二種類あるんじゃないかと。そこにすばらしい保存状態の標本が出てきたので、これまであまりよく知られていなかったダスプレトサウルスについて再評価、再検討しようという話です。僕としては、これを通りいっぺんに普通に記載してしまうのはもったいないので、時間をかけてやっていて、気づいてみればここまで来てしまいました。みんなにいつ出すんだ、いつ出すんだって、もうずっと言われてるんですよ」

ダスプレトサウルスは、中生代白亜紀後期のティラノサウルス類で、白亜紀最後期の超有名恐竜ティラノサウルス・レックスよりちょっと前に生きていた。体長が九メートルほどあったとされている。同時代の肉食恐竜には、中型・小型のトロオドン、ドロマエオサウルス、サウロルニトレステスなどがおり、一方で狙われる立場の草食の恐竜たち、カモノハシ竜や角竜たちも多様だった。こういったものがアルバータ州の恐竜世界を象徴する存在であり、カリー博士や宮下さんにしてみれば、ご当地ダイナソーなのである。

二〇〇一年に見つかった標本の頭骨の部分を、ぼくも見せてもらったわけだけれど、その時、思わず息を呑《の》んだ。頭骨が左右、分かれた状態で出ており、半身のまま表裏が分かるようしつらえてあった。歯は顎から抜け落ちたものもあるが、おおむねすべて回収されている。

最初の感想は、「美しい」だ。とても保存状態がよい化石を、きれいにプレパレーション（今すぐに研究できるように「準備」すること）してあり、質感豊かな造形物に見えた。何千万年もかけて自然が形作り、人間が仕上げをした芸術作品だ。標本としてだけでなく、美的にも優れている。

「実は、獣脚類、ティラノサウルス類など多くの肉食恐竜を含むグループは、頭骨が完全な状態で発見されても、結構、研究しづらいんですよ。骨が複雑に組み合わさって残っているので、それを分解するか、最近ではCTスキャンして見たりするわけです。でも、この標本はバラバラになった状態で、しかも歪《ゆが》みなく完全に出てきています。CTスキャンは必要ないし、棚からさっと出して手に取って見られるわけです。でも、まあ美しいですよね。その美しさをどういうふうにあらわしていいのか分からないですけど、そこはもう、何か理屈じゃないんですよね」

研究上に必要なものが全部揃っている完備性みたいなものと、審美的な意味で強く迫って

これがその頭骨の化石。7000万年前に生きていたものとは思えない保存状態だ。

頭が左右に分かれている。

くるものが、不可分になっているのが特徴なのかもしれない。

そう指摘したら宮下さんはうなずいた。

「そうですね。突き詰めていうなら、プレパレーション一つにしても、完璧なんです。見つかった段階での保存状態のよさはもちろん、それを確実に博物館に持ってきて、きれいにプレパレーションしてある。例えば、ここ、神経とか血管が通る穴なんですけど、その中まできれいにしてありますよね。標本を保護するサポートジャケットも軽く丈夫にできている。そういうのも含めて、やっぱりきれいだと思うんです。普通はこの状態で博物館の収蔵庫にしまっておくことってできないんですよ。そもそれ自体が重いので、それだけで壊れたりもしますし」

というわけで結論としては、自然と人間のわざによって実現した、奇跡的に情報豊かな標本だということだ。古生物学者の目で見れば、美しく装丁された自然の書籍のごとく、多くの情報を引き出せる。カリー博士は、そのような貴重な標本を大学一年生の宮下さんに託したのである。

「この標本は、僕に比較解剖学を教えてくれた先生のような存在なんです。そんな標本にふさわしい研究をしようと思ったら、学位のためにやるとか、実際的なことをいろいろ度外視しなきゃいけなかったんです。僕がこの標本に対して持っている構想は、大きなモノグラフを書くこと。もし、学位のためにやるなら、機能にフォーカスするとか、個体発生にフォーカスするとか、なにか時節に合わせたテーマに落とし込まなければならないけれど、そうではなくて時々の流れに左右されない価値を持ったモノグラフです。できるならばフィルと二人三脚で進められるような環境で書くべき論文なんですよね」

モノグラフとは、この場合、先行研究を精査した上で標本を詳細に記載し、ダスプレトサウルス、あるいはティラノサウルス類の解剖学的・進化的な見取り図を描くことを意味する。取るべきデータはすでに取ってある。二カ月かけてじっくりと観察し、計測したので、その点はもうオーケイ。では、なにが障害になっているのか。

「僕、博士課程のときも、修士課程のときも、それこそ学部生のときも、何回か書き始めました。それで一カ月ぐらいは調子にのって書いているんですけど、必ず邪魔が入るんですよね。例えば、グランドプレーリーの営巣地の論文も、竜脚類の論文もそうなんですけど、ああいうのが入ってきて、ちょっと分断されて、分断された後に書いた原稿を見ると、こんなのじゃいけないってなるんです」

かなり時間がかかる論文執筆なので、最後まで行く前に別の仕事が何度か割り込んでくるのは必定。研究者として発展中の宮下さんは、ひとつ大きな研究を仕上げるたびに成長し、少し前に自分が書いたものに満足できなくなる。ハードルが上がり続けて、今に至るという話なのだと見た。

結局、恐竜の研究については、このテーマが「蓋」のように作用して、別の大きなテーマ「脊椎動物のボディプランの起源」へと向かうことになる。

## 巨大なテーマに立ち向かうわけ

このあたりで、宮下さんの研究の方向性について、「意味不明」と思う人が多いのではないかとぼくは感じている。

ある素晴らしい標本を詳細に調べてモノグラフを書くことと、「脊椎動物のボディプランの起源」を問うこととをテーマとして並べると、後者の方が確実に巨大なテーマだ。恐竜研究に「蓋」があるからといって、おいそれと向かうものでもなかろう。

宮下さんは、論理的かつ明快に語る人だけれど、同時に強いパッションに突き動かされている人でもあって（思い出してほしい。高校生の時にアルバータの学校に編入して、カリー博士のところに押しかけたような人物である）、外から見るとやっていることが広すぎて分かりにくい部分がある。本人の中では明確につながっているとしても、なかなか見えにくい。恐竜研究から、博士研究のテーマへのジャンプはまさにその事例かもしれない。これも、やはり本人にとっては「ジャンプ」ではないのだ。

「僕が脊椎動物のボディプランにかかわる発生学に興味を持つようになったのは、かなり前で、高校生の頃にフィルの手伝いをしているときに本棚から抜き出して読んだ何冊かの本のせいなんです。一九三〇年から四〇年にかけて書かれた進化生物学の教科書って、現代的な進化論、いわゆるModern Synthesis（総合説）の前夜です。その時代の進化生物学者は、発生についてすごく興味を持っていたんですよね。さらに一九世紀の研究者は、古生物をやる人が発生も見ているのがむしろ当たり前でした。で、大学生になって勉強していると、二一世紀の発生生物学はもうどんどん進んでいるわけです。昔の教科書を読んでいるだけではダメで自分でやる必要があって、三年、四年、五年ぐらいのスパンで、系統的、体系的に勉強していこうとしました」

宮下さんが読んだという二〇世紀の教科書の一つは、イギリスのジュリアン・ハクスリーのものだったそうだ。現代の「総合説」が成立する際の立役者の一人だが、トーマス・ヘンリー・ハクスリー（ダーウィンが『種の起源』を出した後で、普及のために力をつくし、「ダーウィンの番犬」の異名をとった人物）の孫、あるいは、ディストピア小説『すばらしい新世界』（一九三二年）を書いたオルダス・ハクスリーの兄だと言う方が、専門外の人には通りがいいかもしれない。

また、総合説というのは、別名ネオ・ダーウィニズム（人によって用語は違うが、だいたいは同一視されている）のことで、従来の自然選択説にくわえて、二〇世紀になって勃興した集団遺伝学を取り込んで枠組みを広げたものだ。近年は、発生学もふたたび包摂し、生態学も取り込み、実に「総合的」な体系になっている。宮下さんもそんな流れの中にいる。

また、発生学については、大学の学部生時代に、宮下さんの潜在的な方向性を察知したのであろう周囲の先生たちから、一夏、発生生物学を学べる研究所に滞在してくるように薦められたことも決定的だったそうだ。そのおかげで、宮下さんは、古生物学と発生学の両面から「脊椎動物のボディプランを研究する」スタイルへとたどり着いたのだった。

「脊椎動物って、一見まとめやすそうに見えるじゃないですか。骨があって、背骨があって、背骨をたどっていくと、頭蓋骨が脳を包んでいて、その脳からは神経の束が一本、二本、三本……と出ていて、その神経をたどると鼻があって目があって耳があって……そういうものを僕らはボディプランっていうんですけど、これを見るのが本当に大変なんです。とにかく要素の数が多すぎる。個々の要素が進化の中でどういうふうにつながってきたのかを見るのは、骨だけじゃ足りないですし、骨にしても、化石記録の肝心なところは抜け落ちていますから」

それを宮下さんが一気に解決、というわけにはさすがに行かない。まず突破すべき着目点が必要だ。

宮下さんが着目したのは「顎」だ。

2010年、カナダ西海岸のバンクーバー島沖でヌタウナギを捕獲する宮下さん。ヌタウナギの粘液がカゴから手に伝わっている。
写真提供：宮下哲人

顎がない脊椎動物「無顎類」（ヤツメウナギやヌタウナギ）を対象に、顎の起源を問う。

その上で絞ったテーマは三つ。「ヤツメウナギやヌタウナギの系統関係の再検討」、「ヤツメウナギの幼生の研究」、そして、「顎の起源についての考察」だ。

それぞれ、古生物学や、進化発生学の最前線の息吹を伝えることになると思うので、最後にそれらについて見ていこう。

## 「顎」の誕生のインパクト

宮下さんが博士論文で研究したテーマは、こうした三本の矢になっている。それぞれ、ざっくりと聞いていく。「なにをしたのか」レベルでの紹介に留めるが、野心的な研究の風合いを感じ取ってほしい。

「ヌタウナギとヤツメウナギが同じ系統なのかは、二〇〇年前からの論争です。ここ二〇～三〇年の議論ですと、形態的に見ると、単系統ではないんです。ところが、分子系統、つまりミトコンドリアとか、あるいはゲノムで系統分析をすると、一つの系統になっちゃうんですね」

形態で見る系統と、ゲノムで見た分子系統が食い違ってしまうギャップを、宮下さんは博士論文で埋めようと考えた。胚《はい》を観察することで得られる情報をもとに、形態について洗い直したところ、宮下さんは同じ系統（単系統）であるという結論を得た。

「二本めの矢」は、化石記録の発見から分析までひとつながりになった古生物学者の面目躍如たる研究だ。

まず前提として——

「ヤツメウナギって、成体は血を吸う吸血鬼的な魚ですよね。でも、幼生のときは、血を吸わないんですよ。砂の中に棲《す》んで、砂を濾過《ろか》して有機物を食べているんです。一見、ナメクジウオに似ています。ナメクジウオって脊椎動物じゃないんですけど、脊椎動物にちょっと近いボディプランを持っているといわれている無脊椎動物で、大きさこそヤツメウナギの幼生のほうがちょっと大きいんですけど、もう見た目からしてよく似ている。だから、ずっと脊椎動物の比較解剖学の中では、もし脊椎動物の一番原始的な姿を見たいと思ったら、ヤツメウナギの幼生を見ろって言われてきたんですね。そこに進化の最も原始的な段階が保存されていると」

ところが宮下さんは、南アフリカのフィールドでとんでもないものを見つけてしまった。

「二〇一六年三月に南アフリカのフィールドワークで、三億七〇〇〇万年前ぐらいのデボン紀の地層から海生のヤツメウナギの幼生の化石が見つかりました。成体は以前から同じ場所で知られていたところです。それで、幼生の化石をよく見たら、今生きているヤツメウナギの幼生とは全く違うんです。口がバクの鼻みたいに伸びて、その先に歯がついているという。親だと大きな吸盤になっているので親とも違う。で、目も大きい。現生のヤツメウナギの幼生って砂の中に棲んでいるので、目は小さいんですけど、この幼生の場合は、体長一センチ半くらいの段階でもすごく大きな目を持っていて、これは素直に解釈すれば、獲物を見つけるビジュアルなシステムです」

ヤツメウナギの幼生は、かつて、濾過食ではなくて、捕食者だった！　しかし、そんなに姿が違うなら、別種なのではないかという疑問も湧いてくる。

「段階が追えるんです。体長一センチ半ぐらいの本当に小さい個体から、成体が七センチぐらいなんですけど、そこに至るまで、八体ぐらいの標本が段階を踏める形であります。これが一つだけだったら、僕も多分別の種類だと思ったんでしょうけど、幾つか中間段階があるので。とすると、今のヤツメウナギの幼生の濾過食っていうのは、原始的なものではなくて、おそらく二次的に淡水系への適応の中で新しく獲得された形質なんじゃないかと」

ここにきてストーリーがかなりはっきりしてきた。

ヤツメウナギ、ヌタウナギなど、原始的だとされてきた脊椎動物の系統関係を整理した上で、「現生のヤツメウナギとナメクジウオは「他人の空似《そらに》」かもしれない」こと、したがって、これまで言われてきたような「脊椎動物の原始的な姿を見るには、ナメクジウオに似ているヤツメウナギの幼生を見ろ」は通じないかもしれないと宮下さんは指摘したわけだ。

それでも、ヤツメウナギには顎がない。これが脊椎動物の原始的な姿であること自体は、かわりない。そこで、これまでのように幼生にこだわることなく、顎の獲得に向けての進化的なポイントを考えるとしたら何か、という問題になる。宮下さんが着目したのは「関節」だった。

「顎ができるためには、必ず関節がなければいけないんですが、顎のない脊椎動物には、関節自体がないんです。全部フニャフニャの軟骨でできているので、その必要がなくて。じゃあ、関節というものはどういうものかというと、実はすごく複雑です。まず骨端を守る軟骨がなきゃいけないし、その軟骨を包む靭帯《じんたい》がなければいけない。そして関節を覆うカプセル（関節包）をつくって、潤滑剤になる滑液を入れなければいけない。いきなりポッとできるものでもないので、おそらく無顎類の段階で、後に関節に転用できるような構造があるはずなんです。それが何なのか、仮説を発表した三人がいまして、僕もそのうちの一人です。それを検証しようとしています」

宮下さんはとても大きく出ている。

顎の起源としてまず関節の起源を考え、さらにその起源として無顎類の段階で元になった構造がすでにあったと考える。そして、その構造が何なのか既存の三つの仮説を調べる。三つのうちの一つは宮下さん自身のものだ（二〇一五年に論文発表済み）。

三つの仮説は、以下の通り。

・筋肉が顎関節の起源になった。
・ヤツメウナギの幼生に特異的にあらわれる軟骨組織「ムコ軟骨」が起源になった。
・軟骨に挟まれた血洞とよばれる血のたまり場が起源になった（宮下仮説）。

ここではすべての議論を追わないことにして、宮下さんの説のみ解説してもらおう。

「口から入ってきた水をポンプみたいにしてエラのほうに送り込むベラムという器官（人間の場合、「軟口蓋」をさすが、ヤツメウナギの場合「縁膜」と呼ばれる）があるんですね。その根本のところに血のたまり場、血洞があって、ベラムが動くときに、血洞を押して血流を助けているんです。一方で視点を変えると、ベラムの動きに対して血洞はクッションみたいになって、関節のように機能しています。実際に関節の発生を、関節がある現代の魚で観察すると、関節の中の潤滑剤、滑液は、血液からできているんですよね。だから、そもそも、血のたまり場みたいなものが軟骨の間に挟まった構造が、循環系から独立して関節になったんじゃないかっていうのが僕の仮説なんです」

ここまで来ると解剖学的な知識がないと立てられた問いをイメージすること自体難しいも

のの、古い化石を検分したり、現在の生き物の発生の観察をしたりしつつ行う研究の闊達《かったつ》さが伝わってきて聞いているだけで熱くなる思いだった。

## ゲノム編集技術で新たな視野を拓く

ただ、宮下さんがいくら「古生物学＋発生学」という温故知新的なスキルセットを持っていても、それだけでは心もとない部分がある。というのも、顎の起源で見なければならない筋肉にせよ軟骨にせよ化石記録も残りにくいわけだし、発生学的にもこれまでさんざん観察されても解明に至っていないわけだから、どちらのルートで謎を突き詰めようとしても、難所があって道が途切れてしまうのだ。

しかし、ここは、本当にこの数年のうちに誰もが使えるようになった新技術が役に立つ。宮下さんが大学院生になった後に世に出たゲノム編集技術CRISPR-Cas9（クリスパー・キャスナイン）だ。

ぼくが訪問したとき、すでにアルバータ大学で発生生物学の教室にも机を置かせてもらっていた宮下さんは、ヤツメウナギの胚を入手できるカリフォルニア工科大学の発生生物学の研究室にも「居候」してこの実験に着手した。

「例えば、筋肉が関節の起源だったとします。遺伝子から見ていくと、現生の脊椎動物で顎の関節をつくるために必要な遺伝子の幾つかはヤツメウナギにもあるわけです。もし、筋肉が顎関節の起源だとしたら、そういった遺伝子はヤツメウナギの口の周りの筋肉の枠組みをつくるのにも働いているはずですよね。だから、それをCRISPR-Cas9を使ってノックアウトしてしまえば（発現できなくしてしまえば）、その筋肉の枠が乱れるはずです。そして、顎をもった脊椎動物、ここではゼブラフィッシュに同じ実験をすれば、似たような結果が出るはずです。でも、やってみたらそれが全く見られないんですよ」

つまり、宮下さんの実験の結果としては、「筋肉起源説」は整合性に乏しいということになる。一方で、「ムコ軟骨説」と「軟骨と血洞説」の決着はついておらず、今後の課題だ。

以上、宮下さんの博士論文の「三本の矢」をとても駆け足で紹介した。

ディテールについてはかなり省略せざるを得なかったが、ここでぼくが知ってほしいのは、細部よりは大きな景観だ。

恐竜を入り口にしてカナダに渡った「恐竜少年」が、豊富な標本とフィールド、そして、導いてくれる師に恵まれ、もちろん本人のあふれんばかりの情熱に駆動されて、研究のキャリアを若年でスタートさせた。そして、博士研究の時点で恐竜だけに収まらないもっと大きな景観を頭のなかに思い描くようになった。

とても楽しみではないか。

「脊椎動物のボディプランの起源」という奥深いテーマで、宮下さんは今、研究者として探求の扉をノックしている。そう簡単に納得がいく結論に到達できないはずだし、ライフワークになるはずだ。ライフワークにしても解き明かせるとは限らない。

しかし、高校生でカナダに渡って以来、思い定めたものをひとつひとつクリアしてきた馬力と視野の広さと思いの深さを知る者として、何か突破口を開いてくれるのではと期待してやまない。

そして、いずれ、やはり恐竜研究にも戻ってきてほしい。

なにしろフィリップ・カリー博士との約束でもあるダスプレトサウルスのモノグラフも未完成のままではないか！

博士論文のテーマを経て、また自分自身が設定するハードルが上がったであろう今ならどんなアプローチが可能だろう。

宮下さんの目がきらりと光った。

「あ、実はそれは考えているんです。今の自分の時点でこういう研究をしているんであれば、おそらく、ダスプレトサウルスについてある程度の斬新な試みができると思うんですよ。恐竜って、今生きているワニとニワトリの間に挟み込まれたような存在ですからね」

この話を聞いた時、ぼくの頭のなかにスパークが走った。

ワニとニワトリの間に挟み込まれたというのは、系統としてはまさにそうだ。ワニは恐竜と共通祖先を持ち、鳥類はダスプレトサウルスが属する獣脚類から進化した。

でも、宮下さんが言っているのは、もっと野心的なことだ。

恐竜は絶滅したけれど、ワニもニワトリも、今生きている。ということは、遺伝子を見ることもできるし、発生を追うこともできる。ゲノム編集技術を駆使して、また、古生物学と発生学で鍛えた目でワニやニワトリを研究すれば、それは間に挟まれた肉食恐竜たち、巨大な獣脚類についての知見にもつながりうる。

ダスプレトサウルスについて現代の発生生物学の視点から語る章が、宮下さんが書くモノグラフには設けられるかもしれない！

先は長い。楽しみに待っている。

ただし、ぼくや日本の古くからの恐竜ファンや上の世代の研究者や、もちろんフィリップ・カリー博士が元気なうちによろしく！

## 研究を志す若い人へ

宮下哲人

標準理論が成立する前夜、かのスティーヴン・ワインバーグのもとを、院生が進路相談に訪れた。百家争鳴の素粒子論には展望がないが、理論的な枠組みが確立している相対性理論なら研究したいと語る院生に対し、ワインバーグは「君が言ったのは、素粒子論を今やる完璧な理由じゃないか」と返したそうだ。マイルズ・デイヴィスも言っている。「そこにあるものではなく、そこにないものを演奏しろ」と。

形の記述の機械的な繰り返しに行き詰まった自分が、本当はどんな研究をしたかったのか。ようやく気がついたのは、臨海研究所で取ったコースの課題でウニの幼生を研究した時だった。左右でも前後でもなく、対角線上にある突起が軸になって、時々刻々と変化する非対称な繊毛帯を作り出す。これを分析するために形態計測から流体実験からビデオ分析からモデリングまで、考えつく手法を総動員して、毎日が幸せだった。素朴な観察が無視できない疑問を生み、自分の手持ちにあるものないもの全部使って、小さな宇宙を作り上げる。もちろん、そういう瞬間のためにはそうではない瞬間も沢山経験しなければいけないわけだけれど。そんなマジカルな瞬間《とき》がみんなに訪れたら、それって素敵じゃないですか。

# 雲を愛でて、危険を察知する

荒木健太郎

## あらき・けんたろう

雲研究者。気象庁気象研究所研究官。博士（学術）。1984年生まれ、茨城県出身。慶應義塾大学経済学部を経て気象庁気象大学校卒業。地方気象台で予報・観測業務に従事した後、現職に至る。専門は雲科学・気象学。防災・減災のために、豪雨・豪雪・竜巻などによる気象災害をもたらす雲の仕組み、雲の物理学の研究に取り組んでいる。著書に『雲を愛する技術』、『世界でいちばん素敵な雲の教室』、『雲の中では何が起こっているのか』、『せきらんうんのいっしょう』、『ろっかのきせつ』など、監修に映画『天気の子』（新海誠監督）、『天気と気象の教科書』（Newton別冊）、『気象のきほん』（Newtonライト）などがある。Twitter：@arakencloud、Facebook：@kentaro。araki。meteor

気象庁気象研究所の荒木健太郎さんは、「雲を愛でる」いわば「雲愛」を公言してやまない雲研究者だ。美しい写真とわかりやすいイラストを満載した数々の一般書や、積乱雲や雪をテーマにした絵本を出版するなど、「ポップな研究者」のイメージが強い。大ヒットしたアニメ映画「天気の子」（新海誠監督）では、雲描写の監修だけでなく本人役で登場し熱い雲論議を展開していたから、ますますその印象が強くなったと思う。一方で、研究者としての荒木さんは、かなりゴリゴリの数理的なアプローチをとる雲物理研究者だ。その研究について知ると、柔らかい言葉で書かれた一般書の背景に、数式で表現されるような雲の物理過程が透けて見えてくるように感じられる。荒木さんは、かなり工夫を凝らして（様々な言葉を開発するだけでなく、美しい雲の写真やユーモラスなイラストまで駆使して）、専門家の世界と一般の人たちの世界に橋をかけているのだとよく分かってくる。なぜそこまでするのか。荒木さんには、防災にかける強い思いがある。理論愛と「雲愛」、クールとポップ、ゴリゴリの数式とやわらかな表現、そして、すべてを貫く強い思い。そういったものがぐっと迫ってくる。

## スマホやコンデジで撮るすごい雲

雲を眺めるのが好きだという人は多い。

ただ見ているだけで楽しいし、想像力をかき立てられる。ぼく自身、子どもの頃、雲は綿《わた》飴《あめ》かもしれないと考えてあまーい夢にひたったり、ふかふかした雲に乗りたいと願ったりしていたのを思い出す。長じても、かなりの「雲好き」だという自覚があり、空を見渡せるような場所にいさえすれば、ひがな一日、雲を見て過ごせる。

けれど、ぼくの今の環境では、それがなかなかかなわない。まわりを住宅に囲まれて、少しでも空を見るためには、近所の月極駐車場まで足を運ぶ必要がある。気軽に雲を見ることができず、雲ロス状態になってしまう。

そんな状況下で、一服の清涼剤となるのが、「Twitterアカウント@arakencloudだ。あるいは、Facebookで「荒木健太郎」をフォローすればいい。これでもか、というくらい美しい雲の写真をアップしてくれており、まさに眼福につきる。雲を愛でる「雲愛」の欲求を満たすことができる。

と同時に、なぜこんな写真が撮影できるのかと不思議に思う。特に、雲が虹色に色づく彩雲（詳しくは後述）の写真は、自分が撮影してもこんなふうにはならない！　と嫉妬を覚え

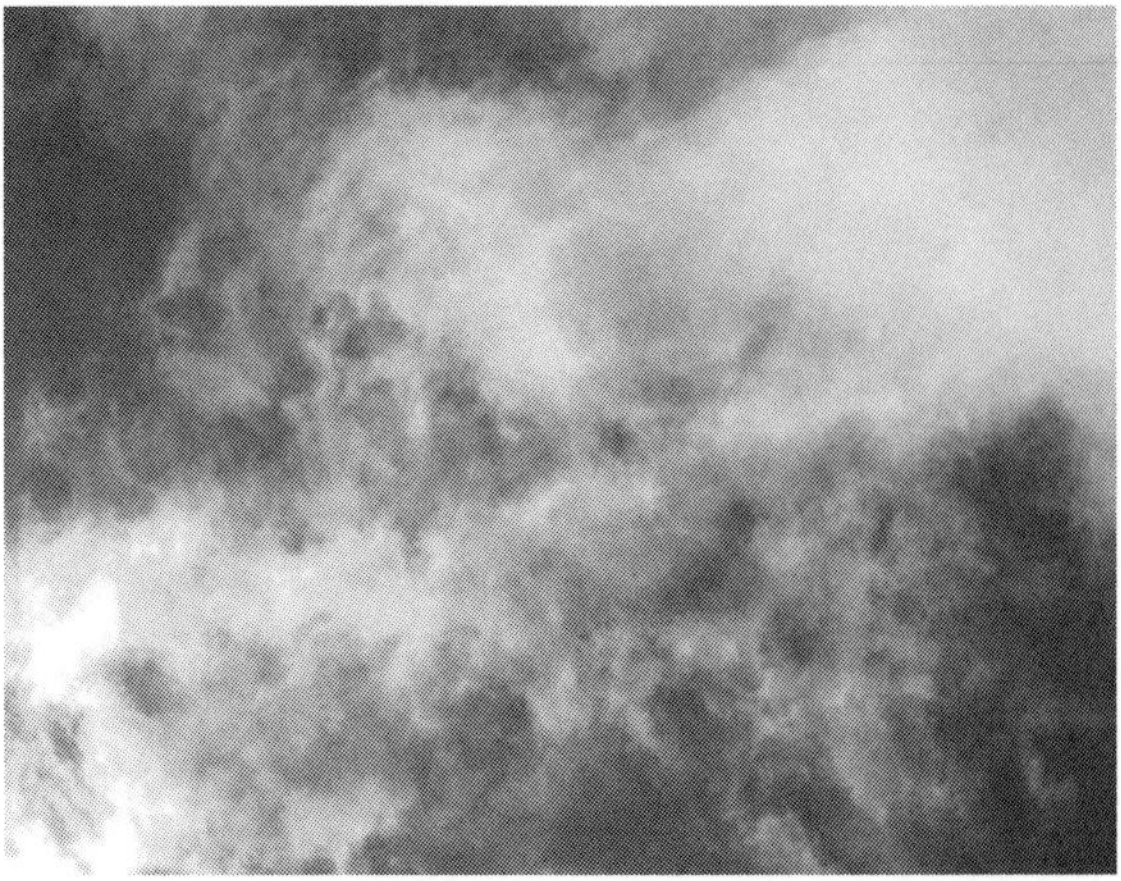

荒木さんが撮影した雲。写真提供：荒木健太郎

るほどだ。

これらのアカウントの主、荒木健太郎さんは、気象庁気象研究所の研究官であり「雲研究者」である。その専門知識を活かし、素敵な写真をアップし続けている。冬になると、雲だけではなく地上に落ちてきた雪の結晶や、霜など、問答無用に美しい写真を日々、公開しており、目を奪われるばかりだ。

この人はいったいなんなんだ。最初の時点では研究者というより、超絶的な写真テクの持ち主として認識していたわけだが、荒木さんがTwitterで、「#関東雪結晶」や「#霜活」というタグをつけて発信している内容を見て、おおっと身を乗り出した。なんとこれはネットを利用した市民参加型の気象研究な

実は頻繁に出会える彩雲。形もさまざまだ。写真提供：荒木健太郎

気象庁気象研究所で雲の科学を研究する荒木健太郎さん。

のだという。

つまり、荒木さんはものすごい写真の撮り手であるだけでなく、それすらも研究の一部、というたぐいの研究者なのだ。

興味津々で、茨城県つくば市長峰にある気象研究所を訪ねた。

荒木さんの研究室は、予想にたがわぬ「雲愛の世界」だ。壁一面に様々な雲の写真が美しくレイアウトされた上で「展示」されており、展覧会さながらともいえる。

研究について伺うべきが、まずは写真の撮り方を指南してもらうことになった。

衝撃だったのは、別にすごい機材を使っているわけではない、ということ。

「彩雲は、コンデジ（コンパクトデジタルカメラ）

です。四〇倍くらいに拡大して、色づいているところだけを撮るとこんなふうになるんですよね。それから、霜や雪の結晶の写真は、スマホのカメラに一〇〇円ショップで売っているマクロレンズのアダプタをつけて撮っているんです」

まったく、驚いた。

まず、彩雲というのは、文字通り、彩りゆたかに色づいた雲のことで、その気になって探せば、日常的に見られる。太陽の近くに薄い雲がかかっている時に、その端のあたりに注目するべし。太陽を直接見るのは避けなければならないが、雲が太陽にかかったらチャンスで、そのまわりを探してみるといい。本気で探せば、毎日のように見える。

「たしかに、珍しいと思われがちですけど、季節や場所を問わず頻繁に出会えます。太陽から視角度一〇度以内のあたりが多いです。ちょっと詳しく言うと、雲を作る雲粒子が、氷晶ではなくて、水で出来ている場合にだけ見えるんですが、特に見つけやすいのは、もこもこした積雲の縁ですかね。例えば、太陽が積雲に隠れたタイミングで雲の輪郭付近を見ると、だいたい彩雲がいます。巻積雲や高積雲と呼ばれる上層、中層の雲で、レンズ状やアーモンド状になったものですと、大規模に広がって天女の羽衣みたいなものも、時々、見られますよ」

雲は、大気中に浮いている水の粒や氷の粒が集まってできている。彩雲は、氷の粒ではなく、水の粒でできた雲で起きる回折現象だ。雲を見て、それが水の粒なのか氷の粒なのかは知識がないとわからないけれど、太陽が雲にかかっている時に雲の縁を見るだけでも、彩雲に会う確率は格段にあがる。本当にしょっちゅう出ているのだから。

そして、撮影には、四〇倍くらいの望遠機能がついたコンデジがよい。それが荒木さんの助言だ。これはぼくにとっては盲点で、もっと広角の絵を撮ろうとしていた。でも、それだと太陽のまわりの明るい部分に露出が引きずられて、繊細な七色の彩りのディテールが飛んでしまう。ぼくがうまくいかないと感じていたのは、つまり、そういうことだったのだ。

「ただ、注意してほしいんですが、観察する時には必ず建物などで太陽を隠してください。太陽からの直接光を裸眼で受けると眼を傷めてしまいますし、その方が探しやすくなります。太陽をうまく隠せば、実はスマホでもきれいに撮影できることがあります。太陽の出ている空で虹色を探す時はサングラスを着用しておくと安心です。建物以外でも街灯や信号機などでうまく太陽だけが隠れるところに移動したり、工夫してみるといいと思います」

そのようなかんじで、とんでもなく美しい彩雲は、想像していたよりもはるかに気軽に撮影されていたことが分かった。ちょっと興奮してしまった。

## 市民が参加する気象研究

そして、「#霜活」、および、「#関東雪結晶」の件。

雪の結晶や霜の写真が、「市民参加型研究」とどうつながるのだろう。

「二〇一四年二月に関東で大雪があったことがきっかけなんです。関東平野では年に数回くらいしか積雪がありませんけど、少しの雪でもかなり影響が出ますよね。それなのに、予測の精度が良くないことが多いんです。最近は数値予報モデルなどが発達してきて、スーパーコンピュータもどんどん性能がよくなって、細かい現象が解像できるようになっているのに、低気圧ぐらいのわりと大きなスケールの現象が予測できないっていうのは、実は関東の雪くらいなんです」

関東の雪というのはたしかにやっかいだ。しょっちゅう降るわけではないから、社会的なインフラが整備されておらず、少々の積雪でも交通が止まり、日常生活が破綻する。車がスリップして交通事故が多発し、時には亡くなる人もいる。雪国の人からは対策不足をよく揶《や》揄《ゆ》される。それはまっとうな意見なのだが、それでも、雪が降るごとにトラブルが起きる。

二〇一四年二月一四日から一五日にかけて関東甲信地方を襲った豪雪は、埼玉県秩父市で九八センチ、熊谷市六二センチ、栃木県宇都宮市で三二センチと、過去の観測記録を塗り替えた。また、山梨県甲府市では一一四センチ、河口湖では一四三センチというとんでもない積雪があり、一時、交通が遮断された。ここまでくれば、雪国の人にも「トラブルが起きて当然」と納得してもらえるかもしれないものの、それほどに大きな気象を予測するのが難しいというなら、それはやはりとても困る。

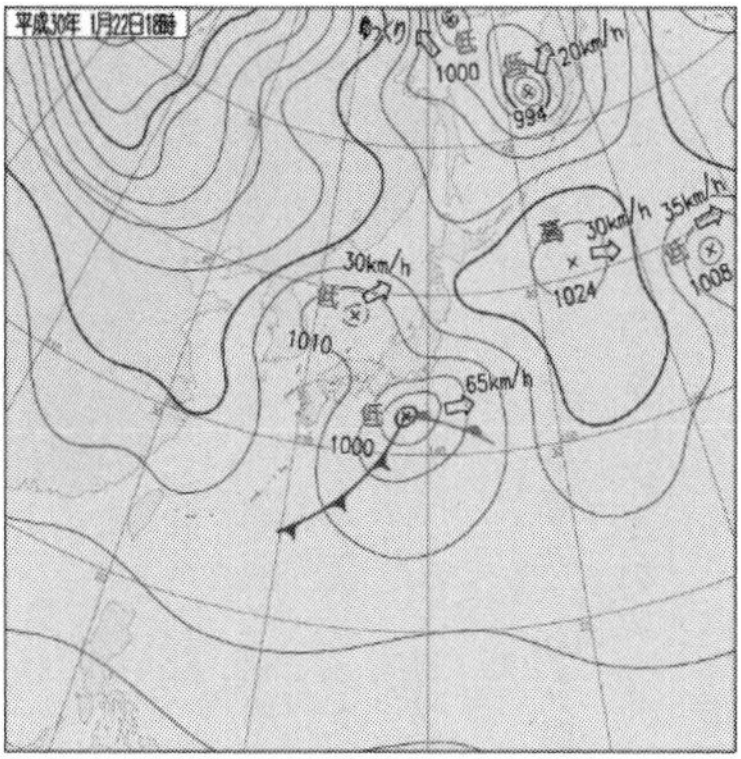

2018年1月22日18時の天気図。文字通り、日本列島の南にある低気圧が「南岸低気圧」だ。（気象庁ホームページより）

「関東の雪が予測しにくい理由は、結構複雑です。そもそも、その現象がどういうものなのかというところが、まず理解ができてないんですね。低気圧に伴って雪が降るというのはまさにそのとおりなんですけれども、予測するためには、まず低気圧の発達度合いですとか、雲がどう広がって、その雲の中にどういう粒子があるのか、それがどういうふうに成長して降ってくるか、まず知る必要があります。で、降ってきた雪とか雨が、地上付近の空気を冷やして、より雪が降りやすくするような状況を整えるので、正確な予測には、地表付近の状態も含めて全部、考えないといけないんです」

関東に雪を降らせる低気圧は、いわゆる「南岸低気圧」だ。前線を伴う温帯低気圧で、日本の南海上を進み、広範囲に雨や雪をもたらす低気圧のことをそう呼んでいる。

そして、関東の雪を予測するためには、南岸低気圧にともなう雲の中で雪ができる物理的な過程だけでなく、様々なことを考慮しなければならず、非常に困難なのだという。

## 関東ではなぜ「雨か雪か」の予測が難しいのか

なぜ、関東の雪は捉えがたいのか。

日本海側なら、いわゆる西高東低の冬型の気圧配置の時に雪が降りやすい。これは大局的な気圧配置が重要であるために予測しやすい。日本海から熱と水蒸気を得てできた積乱雲の中で雪が育てば、そのまま落ちてきて、いわば問答無用で雪になるとも言える。

一方で、関東の降雪は、様々な意味で「曖昧」だ。前線を伴った低気圧（南岸低気圧）が太平洋から接近してきて、雨か雪かをもたらすわけだが、雲の中でどんな物理過程が起きているのかもよく分かっていないし、落ちてくる途中に雪が雨になってしまうことも多い。それには気温だけでなく、地形など地上の様子も影響していて、どういう条件なら雨で、どういう条件なら雪、というふうには簡単には区別がつかない。それでも、雨か雪では、社会生活への影響がまったく違ってくる。

ちょっと前には、南岸低気圧が八丈島より北を通れば南寄りの暖気流が強くて雨、南を通れば北寄りの冷たい風が吹き込んで雪、という説もあったらしいのだが、前述した二〇一四年二月の大雪では、低気圧が関東に上陸した。つまり八丈島のはるか北を通過した。これはセオリーとかけ離れている。荒木さんが過去六〇年分くらいの事例を調べてみたところ、結局、相関はないと分かった。

というわけで、関東の雪の予測をするためには、雪が降る時に南岸低気圧がどんな成長段階にあって、どんなふうに雲が広がって、その雲の中でどんなことが起き、地上がどんな条件で……というようにひとつひとつの現象を理解していかなければならない。

これだけを聞くとまさに五里霧中なかんじがするが、実は、先行研究とも呼べるかもしれない事例が、アメリカにあるのだそうだ。

「関東平野というのは、アメリカの東海岸と地理的な特徴がよく似ているんです。北米の東海岸にはアパラチア山脈という山脈がありますが、それがちょうど日本の脊梁《せきりょう》山地に対応していて、やっぱり向こうでも温帯低気圧の通過に伴って雪が降るということが知られています。その時に、効いてくると言われているのが、コールドエア・ダミング（Cold-Air Damming）と言われる現象です。これが発生すると、北寄りの冷たい風が強化されるんです」

コールドエア・ダミングは、近いうちにニュース番組のお天気コーナーでも言及されることになるかもしれないキーワードだ。「ダミング」というのは、冷たい空気の塊が「ダム」にためられるようなイメージだろうか。もっとも実際に空気が滞留するわけではなく、入ってきた冷たい東風は、東北から関東北部まで貫く奥羽山脈や越後山脈に阻まれて、南向きに転向する。つまり関東平野に流れ込む北寄りの冷たい風が強化される。これが雪の降る環境に影響を与えているらしい。

「二〇一四年二月の豪雪では、まさに南岸低気圧接近時に関東甲信地方でコールドエア・ダミングが発生した例でした。ただ、コールドエア・ダミングが発生すればぜんぶ雪かというとそんなに単純ではなくて、結局、大きな場でどのくらい強い寒気が南下してきているかや、沿岸前線という局地的な前線によって雨か雪かはガラッとかわってきます」

本当にややこしい。だからこそ予測が難しい。

すごく直観的な言い方をするなら、関東地方に降雪をもたらすほど冷やすためには、まずは大規模な寒気の輸送があり、その上でコールドエア・ダミングのように関東を局所的に冷やすためのメカニズムが必要ということなのだろう。しかし、強烈な寒気が南下してきているわけでもない場合には、これだけでは決定的ではなくて、その時にやってきた南岸低気圧や低気圧に伴う雲の状態、地上の状態などで、雨になるか雪になるか変わってしまう。雲の中で起きていることや地上に落ちてくるまでのプロセスが逐一、効いてくる。つまり、最後の最後までどっちに振れるか分からない。

## 雪は天から送られた手紙

結局、雪になる条件を知るためには、雲の中を観測して現象を知る必要がある。具体的にどんな方法があるだろうか。

「雲の中に入って直接観測をしたいんですが、それがなかなか難しいんです。やり方としては、航空機で中に入ったり、雲粒子ゾンデという特殊な観測機器を気球で揚げて、画像データを解析したりするんですけど、やっぱり大がかりになるので、なかなかこういう観測はできません。そこで実態把握のために始めたのが、雪の結晶の観測なんです」

ここでやっと、地上に落ちてきた雪の結晶にまでたどり着いた。

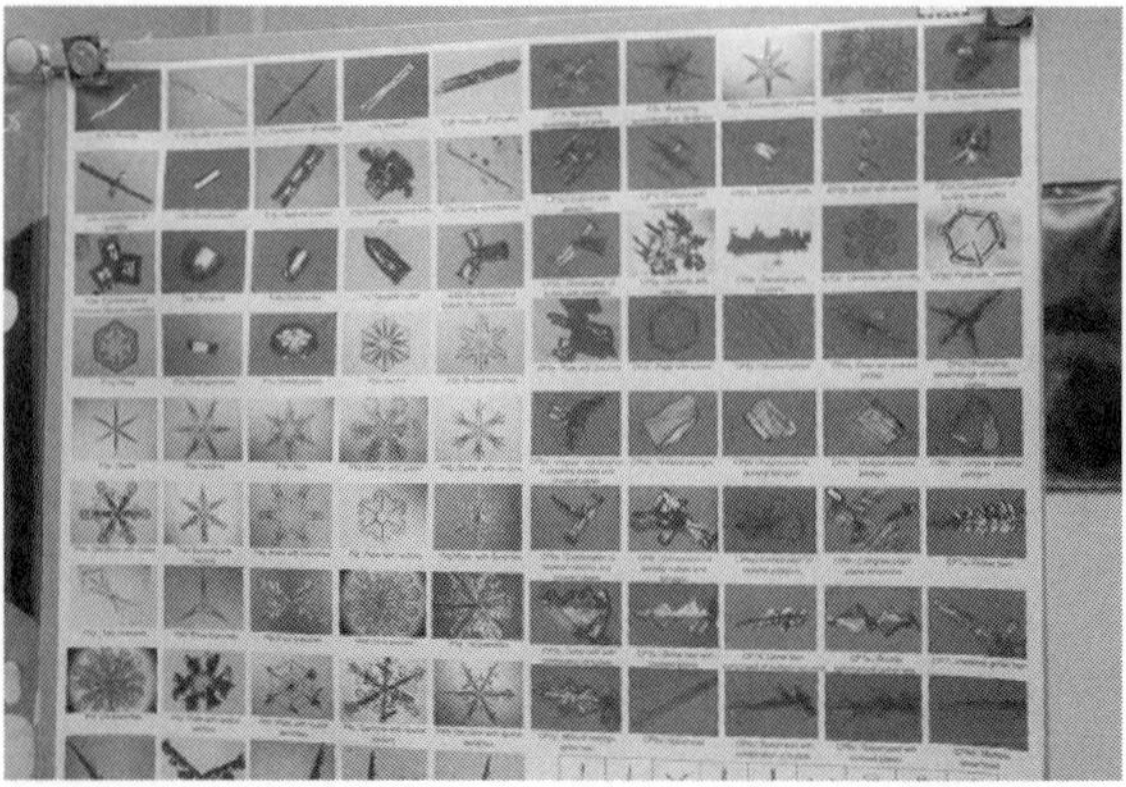
世界のさまざまな雪の結晶は体系的に分類されており、結晶ができた時の大気の状態についてもある程度分かる。

「雪は天から送られた手紙であるという言い方があるじゃないですか。あれは、二〇世紀の先駆的な雪研究者、中谷宇吉郎博士が残した言葉なんですが、実際に地上に落ちてきた雪を見ていると、それが落ちてくるまでにどんなことが起きたのか分かるんです。雪っていろんな結晶があるのをみなさんご存知ですよね。それによって、雲の中が分かるということです」

二〇一四年の関東地方の大雪の際、荒木さんは、降ってきた雪の結晶をスマートフォンで撮影し、研究会での発表の中でその画像を使った。参加した研究者仲間は、それを見て驚いたという。

「研究者の間でも、スマホで研究利用できる雪結晶を撮れるという認識がなかったんです。そ

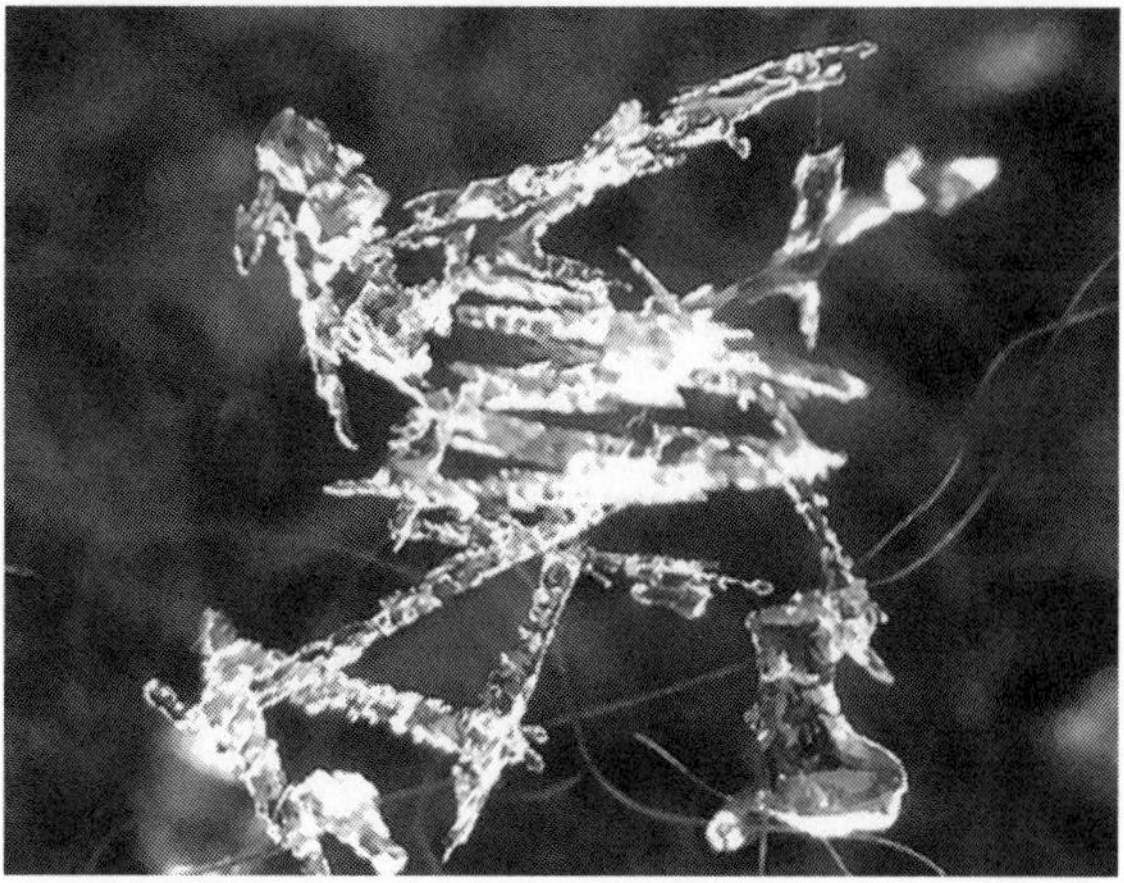

スマートフォンのレンズに100円ショップのマクロレンズを取り付けて荒木さんが撮影した写真。上：樹枝六花（じゅしろっか）。下：針状（しんじょう）結晶による雪片。（気象研究所「#関東雪結晶 プロジェクト」のサイトより）

れも一〇〇円ショップのマクロレンズを使えばとても鮮明な写真が撮れる。で、もともと市民が参加する科学的な取り組み（シチズンサイエンス）を応用した雪の研究をやろうと計画していたので、それなら雪の結晶の画像をテーマにしようということで始めたんです」

これが「#関東雪結晶プロジェクト」の出発点だ。

そして、二〇一六年から一七年にかけての冬、荒木さんはTwitterで呼びかけて、関東甲信で雪が降った時に結晶をスマホで撮影して、「#関東雪結晶」というハッシュタグで投稿するように呼びかけた（プライバシーに配慮して、メールも可）。

その結果、一万件を超える観測データの収集につながった。

「ソーシャル・ネットワーキング・サービスを使って、関東甲信の人たちに雪が降ったら結晶の写真を撮って送ってくださいとお願いしました。すると、各地から様々な雪の結晶が送られてきて、最終的には一万枚以上の画像が集まりました。そのうち七〇〇〇枚以上が解析可能なクオリティでした。こうやってたくさんの市民がネットで参加して雪結晶観測を行う、世界で最初の例になりました」

こういったことが実現した背景には、気象観測の専用機材がなくとも、スマホなどで雪の結晶を撮影できる時代になったことと、それを簡単に送ることができるネット環境が整ったことなどがある。

アマチュアが収集したデータでも、写真にしっかり写っていれば、添付してもらった位置情報と併せて、充分なデータになる。プロの研究者がグループで観測をしたとしても、これだけの観測点で、同じ降雪を同時かつ、時間経過も分かる形で観察するというのはまずできない話で、「#関東雪結晶」は、きわだって稠密《ちゆうみつ》な観測点を持つ一大観測プロジェクトへと大きく羽ばたいたのだった。

## 「#関東雪結晶 プロジェクト」

それでは、この「シチズンサイエンス」の成果は今のところどうなのだろう。

「まず最初に、二〇一六年一一月の降雪についても結果をまとめました。一一月の都心の積雪は、観測史上一番早いものだったので、メディアも数日前から雪の可能性をとりあげて社会的な関心も高かったものです」

一八七五年の統計開始以来、東京ではじめての一一月の降雪として大いに話題になったし、実際に「予報が当たった」事例でもあって、印象が深い。

「この時は、南岸低気圧が発達初期の段階での雪だったんです。普通、温帯低気圧を伴う雪

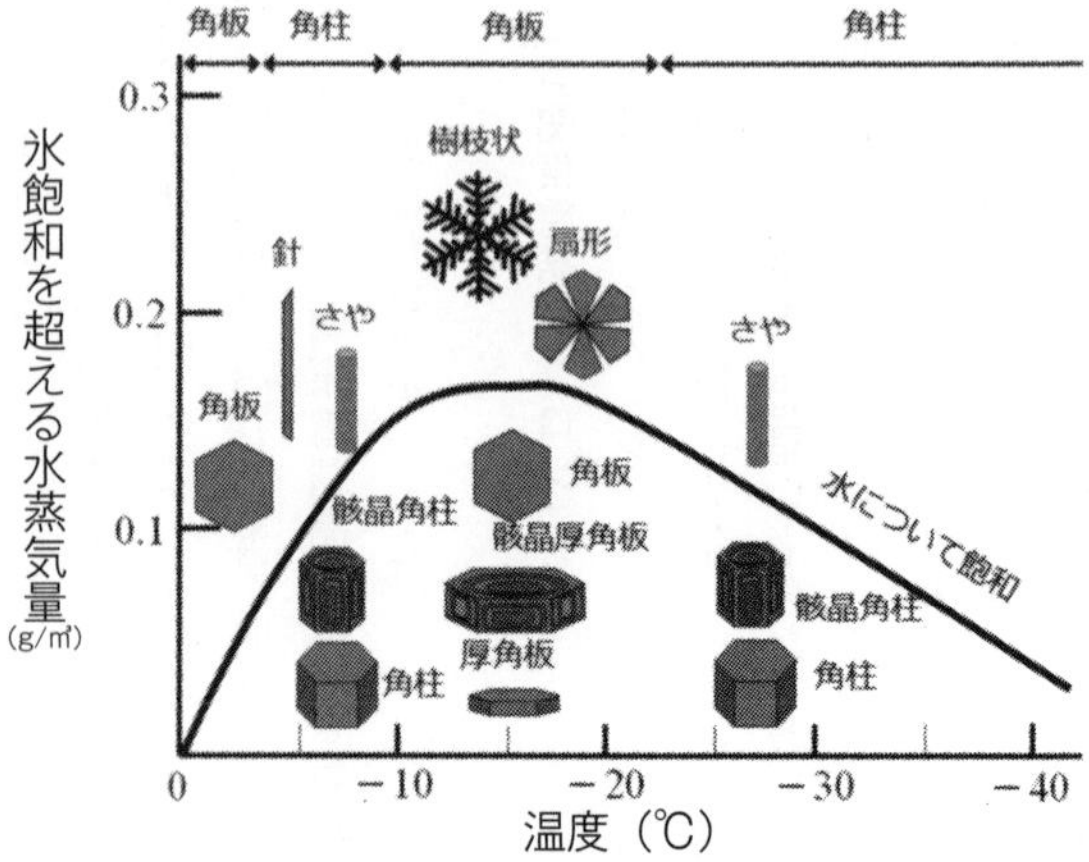


小林ダイヤグラム。（荒木健太郎著『雲を愛する技術』〔光文社新書〕より）

は、上空のかなり高いところで雲が成長するので、低温型結晶という、たとえば「交差角板」と呼ばれるような結晶が多いとされていました。アメリカ東海岸での研究ですけど、低気圧の北側の中心から離れた位置では低温型結晶が卓越すると。でも、一六年一一月の関東の積雪では、朝八時から九時の時点で、そういうものが全然なかったんですね。むしろ、比較的温かくてかつ湿った環境で成長する「樹枝状結晶」などが多かったんです」

雪の結晶の分類については、二〇一三年に日本雪氷学会が考案した「グローバル分類」を使っている。雪の結晶ができる時の温度や、空気中の水蒸気量によってどのような形になるかは「小林ダイヤグラム」というものがある。

二〇一六年一一月の雪は、従来よく言われていた「低温型結晶」ではなく、降りはじめて間もない朝の時点で「樹枝状結晶」と呼ばれるものだった。これは小林ダイヤグラムにあてはめて考えると、雪の成長環境としては比較的温かいマイナス一〇度からマイナス二〇度くらいの湿った空気の中で成長したものだと分かった。地上に落ちてきた雪の形を見るだけで、雪の結晶が成長した雲の中の気温や水蒸気量が分かったのだから、まさに雪は「天から送られた手紙」だと実感できる。

それだけではない。市民の観測によって、時間経過まで明らかになる。

「その日、お昼、一一時から一二時くらいになってきますと、関東南部を中心に別のタイプの結晶、「針状結晶」などがでてきました。これは、さらに温度が高いマイナス四度からマイナス一〇度で、やはり湿った環境でできるものです。それと、雲粒が凍って付着した結晶も見られるようになります。雪の結晶が成長する雲の温度が上がって、かつ上空に、過冷却の水雲が存在するようになったということです」

針状の結晶は、雪の結晶の成長環境としてはかなり高温多湿（と書くと暑そうだが、それでも当然氷点下）なところで成長するもの。そして、雪の結晶にもこもこした雲粒が凍ってくっついているのは、過冷却の水がある環境を落ちてきたから。雪の結晶を見るだけで、雲の中の様子がかなり見えてきた！　ここまで来ると「天からの手紙」は、空間的な分布や、そして時間的な変化を追えることになって、もはや単発の手紙のイメージを超える。むしろ、素直に大規模な観測と言ってよい。

結局、この時の雪は、かなり温かく湿った環境で結晶が成長していたことが特徴だと言えそうだ。実は二〇一六年から一七年にかけての関東の雪は、最初の一一月のものだけでなく、この傾向が強かった。それが関東の雪の「法則」なのだろうか。アメリカ東海岸では、むしろ「低温型結晶」が卓越することになっていたので、こちらでは別のことが起きているのかと疑問が湧いてくる。

「この冬は典型的な南岸低気圧による雪が少なくて、いずれも前線を伴ってないような低気圧の雪が多かったんですね。普通の低気圧に比べて背が低くて、比較的温かい雲から降ってきた。そういう事例だったわけです。毎年見ていくとどうなるのか、興味深いところですね」

たまたま初年の試みは「典型的」ではない降雪を観測したわけだが、この市民参加型研究が「使える」ことははっきりした。そして、満を持して臨んだ二〇一八年最初の関東での降雪では、「#関東雪結晶」がTwitterのトレンド一位になるほど、この試みが注目を集めた。

ぼくも参加して、一時間ごとにスマホで写真を撮った。降り始めはぐずぐずの状態で、すぐに解けてしまう不定形が多かったものの、すぐに塊状になり、やがて見栄えのする「六花」が出てきて、同時に針状のものも見られた。そして、降り止む前には、結晶にたくさんのつぶつぶがくっついた「雲粒付結晶」が多く見られるようになっていった。

刻一刻と、雪の結晶が変わっていくのは、興奮させられる体験だった。荒木さんは、届けられた多くの写真をこれから解析することになる。はたして、前年からの「宿題」は解決するのだろうか。あるいは、謎がさらに深まるのだろうか。興味深い。また、ぼくが撮った写真も役に立つとうれしいなと、ドキドキする。

なお、その後、荒木さんの研究は進み、二〇一九年の日本気象学会秋季大会で発表した成果を教えてもらったので、ごく簡単に触れておく。

「首都圏で観測された雪結晶の種類を分類し、それをもたらす雲や低気圧の特性を調査したところ、大きく分けて二種類があると分かりました。ひとつは、ほとんど樹枝状の結晶と雲粒付結晶からなる雪を降らす低気圧で、もうひとつは、交差角板状・砲弾状といった低温型結晶、つまりマイナス二〇度以下の環境で成長するものを含む、様々な結晶が混ざった雪を降らせる低気圧です。これらはかなりはっきり区別できて、前者はほとんどが前線を伴わない低気圧で、後者は前線を伴う温帯低気圧なんです。雲の背の高さや低気圧に伴う暖湿気流入の強さなどによって雪結晶の種類が変化するのだと考えています」

この話を聞いたとき、関東に雪を降らせる低気圧は、「一種類」だけではないということに、大いに納得感があったし、それが、市民の観測によって見いだされたことをかなり誇らしく感じた。なにしろ自分も観測者の一人なのだから。

と同時に、ここまで言及してきた都市型の「積雪の被害」とは、別の方面で、また警戒すべきことに気づかされた。というのも、マイナス二〇度以下の環境で成長する低温型結晶は、サラサラしていて流れやすいために表層雪崩の要因になることが指摘されているからだ。表層雪崩は、関東でも山間部では被害がしばしば起きるので、今後、予報レベルでこういった知識が活用できるようになれば、雪崩のリスクが高い降雪を特定できるようになって、防災につながるかもしれない。

## 「#霜活」をしながらのぞむ新時代

さて、こういったことを今後も続けていくと、どんなことがさらに分かっていくと期待できるだろうか。

「この雪の結晶の観測データに加えて、既存のレーダーだったり、衛星のデータだったり、いろんなデータを複合的に組み合わせて、実態の解明をするというのがまず最初だと思います。その上で、予測の精度向上という意味では、モデルを精緻化して、雨か雪かをどのくらい予測できるのか、雪の性質も含めて予測できるのかを検証するという方向です」

雪の結晶のデータが地理的な広がりも、時間的な連なりも持った観測として使えるなら、既存のリモートセンシングなどと組み合わせて、より精度の高い予測への突破口が開けるかもしれない。「低気圧レベル」の大気現象の中で最も予測し難いとも言われる「関東の雪」が、「普通の天気予報」になる日が近づく。

一方で、予報ではなくリアルタイムでの情報提供の可能性も見えている。

「今、レーダーが進歩しています。羽田と成田などの空港のレーダーが二重偏波レーダーというものになりました。今後、他のものもそうなっていきます。これを使うと、雨や雪が降っている時、その強さだけではなく、ある程度、形や種類まで判別できるんですけど、そのリファレンスデータとして、雪の結晶のデータが使えます。二重偏波レーダーと雪の結晶のデータを合わせると、観測点がないところでも、雨なのか雪なのかみぞれなのか、もしくは雪だとしてもどんな形の雪なのか。そういう情報が分かる。それで、リアルタイムでどこで何が降っているかを情報提供できるようになるのは、かなり防災上重要だと思うんですね」

このようにシチズンサイエンスとしての「#関東雪結晶プロジェクト」は、見事に市民に還元されるというシナリオでもある。

荒木さんは、さらに、こんなふうに続けた。

「雪結晶のミクロな世界をスマホで手軽に覗《のぞ》けるということがわかれば、雪が降るのが待ち遠しくなると思うんです。すると、天気予報や気象情報をこれまでよりも入念にチェックするようになる。楽しむために気象に関する情報を自分から求めるようになるわけです。いつの間にか気象に関する防災情報を上手く活用することができるようになって、自分自身の身を守ることにも繋《つな》がりますよね」

おーっ、と思った。

楽しみながら知識を深め、知らず知らずに防災につながる。そういう話なのである！

筋道が見えたところで満足して、荒木さんの別の研究テーマに移ろうとしたところ、「ちょっと、もう一点」と補足された。

「『霜活』について話しておかないと」と笑う。

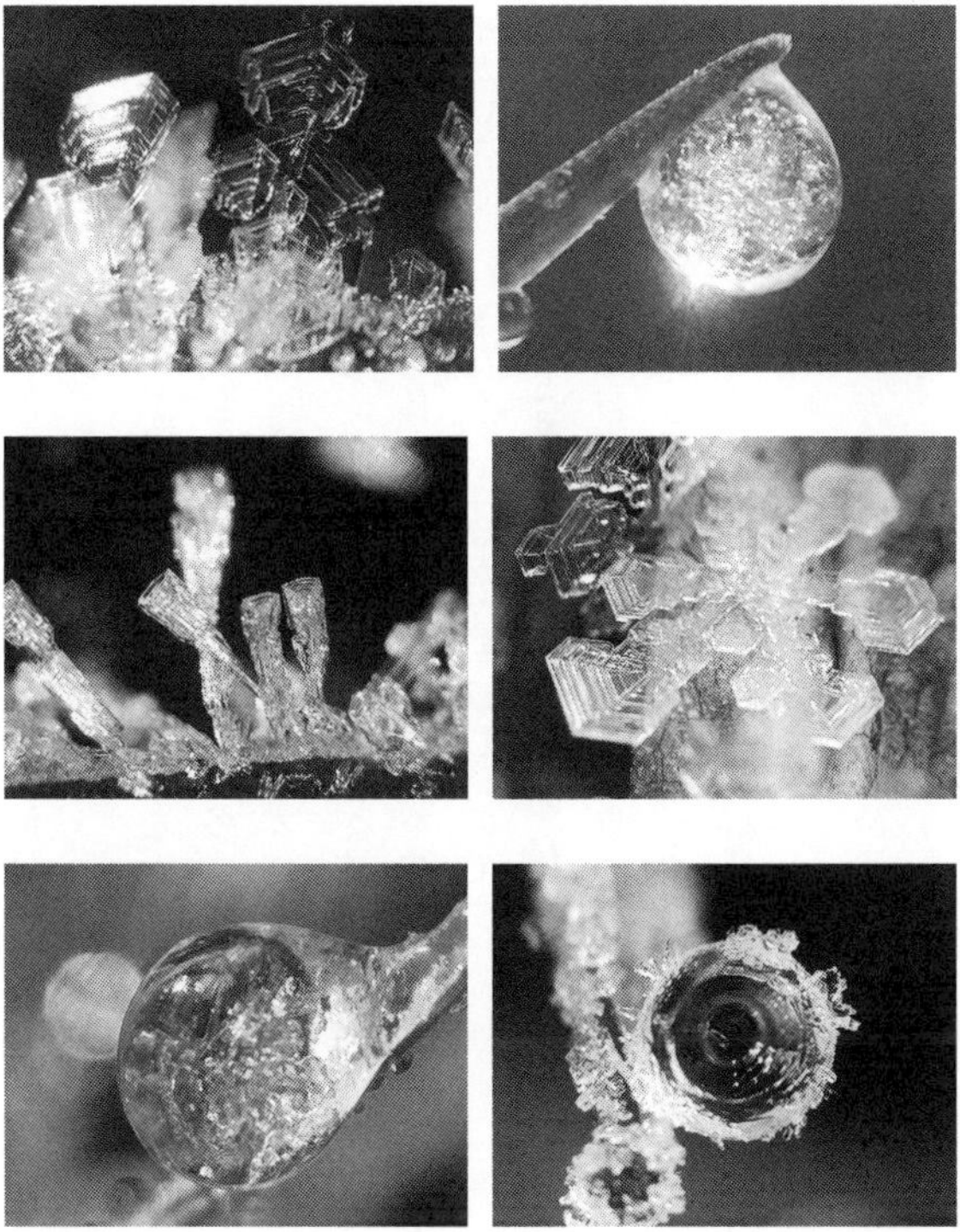

さまざまな表情を見せる霜。写真提供：荒木健太郎

なるほどそうだった。荒木さんは、冬、毎日のようにスマホで霜の結晶の写真を撮影して、ネットに上げている。それがまた美しい！

実はこれは、雪の結晶の観測と密接につながっている。

「関東で雪が降る機会って、やっぱりそう多くないんで、なかなか雪の結晶の観測ができないんですよ。だから、一〇〇円ショップでスマホ用のマクロレンズを買っても、使わずに過ごしてしまう方が多いので。そこで、霜活です。霜の結晶って、サイズ的に雪の結晶と同じぐらいなので、被写体として非常にいいんです。やっぱり、小さなものを撮るには多少、技術がいるし、いきなりだとなかなか難しいので」

つまり、「霜活」とは、雪の結晶の観測のための「自主練」だったのだ。

しかし、自主練は自主練だとしても、独自の美の世界を確立しているような気もする。朝日の中できらきら光る霜結晶は、輝かしくも清々しい。Twitter上で「#霜活」のハッシュタグで検索すると、多くの市民が美しい霜結晶の写真をアップしているのを眺めることができる。

「とがった葉っぱの先っちょに、植物の生命活動でできる水滴が凍結してとてもおもしろいんです。表面に模様ができたりして、朝陽がさして少し解けたりして、自然の造形美というか。これ、朝陽がさして少し解けると、中で気泡が動くのが見えて、その気泡の部分で偏光して、虹色に見えるんですよ。解けゆくなかでのはかない輝きなので、朝陽がさして輝くわずかな時間をシンデレラタイムと呼んでいます（笑）」

## 雲を愛でる研究者が誕生するまで

気象研究所の研究官、荒木健太郎さんは、自らを「雲研究者」と呼ぶ。「雲愛」という言葉を使い、雲を愛する仲間「雲友」の輪を広げようと呼びかける。『雲を愛する技術』（光文社新書）、『世界でいちばん素敵な雲の教室』（三才ブックス）といった一般向けの著作はまさにその愛の表現だったり、魅力を伝える努力でもある。さらには「＃関東雪結晶プロジェクト」や「＃霜活」での活躍、日々Twitterなどで公開される目をみはるような雲の写真などから、荒木さんのことをポップな研究者だと感じている人が多いかもしれない。

では、荒木さんはどんな道筋でここにたどり着いたのだろうか。さぞかし雲ばかり眺めているような少年時代を過ごしてきたのだろうと想像する。

ところが、そうでもなさそうなのである。

「高校くらいから気象には興味があったんですが、今みたいに「雲愛」だとか言っていたわけではないんです。数学が好きだったんで、数学を応用して研究できるような分野として気象を意識していて、進路にも考えていました。それでも、大学は最初、経済学部だったんですよね」

経済学部と聞いてなるほど、と思う。いわゆる「文系」に分類されがちだが、現代の経済理論は高度に数学化されているし、追究しようと思ったら数学適性は必須だ。数学を応用して研究したい高校生が、気象学と経済学を進路に並べて考えるというのは納得できる。

とはいえ、荒木さんは経済学部に入ってから違和感にとらわれる。

「経済学って、数学を駆使してやるもんだと思っていたんですけど、僕が入った時のその大学では、経済学部の先生たちもこっちは文系だというふうに分けて考える人が多くて、あまり数学的な理論をやっている人に出会えなかったんです。結局、一年でやめて、気象大学校に入り直しました」

今の経済学には、数学的に精緻な議論をしている分野もあるはずなのだが、不運なことに荒木さんは、その時、よい出会いに恵まれなかった。しかし、おかげで、気象学の世界は、雲愛を語り、霜活の楽しさを伝える、ポップな雲研究者を得た。

「気象大学校では、やっぱり数学をやりたいという意志があったんで、大気の挙動を記述する気象力学という分野があるんですけど、その専門の先生に一年の時からセミナーをしてもらって、ひたすら紙と鉛筆で数式展開をしていました。当時は、温帯低気圧の理論をやっていて、低気圧が発達する際の波動や擾乱《じょうらん》など、いろんな現実的な項を入れて、いかに美しく解けるかがんばってましたね。もちろん、数値シミュレーションみたいなこともするんですけど、でも、その時点では、現実がどうなっているかというよりも、数学的な関心の方が強かったと思います」

荒木さんが書いた一般書を読んだことがある人なら、この時点で「なるほど」と思うかもしれない。低気圧や雲の中で起こっていることについて、荒木さんの説明は背景に「数式愛」が透けて見えるほど詳細だ。「パーセルくん」という「空気の塊」のゆるキャラを登場させつつ、実際にそこで表現されているのは、本来は数式で表されているのであろう雲の中の物理過程だと言われれば、とても納得できる。

そもそも「パーセル」というのは、気象学ではある程度まとまった空気の塊をひとつのものとして数理的に扱う時の言葉だ。

では、荒木さんにとって、現在に至る転機はどこにあったのだろう。

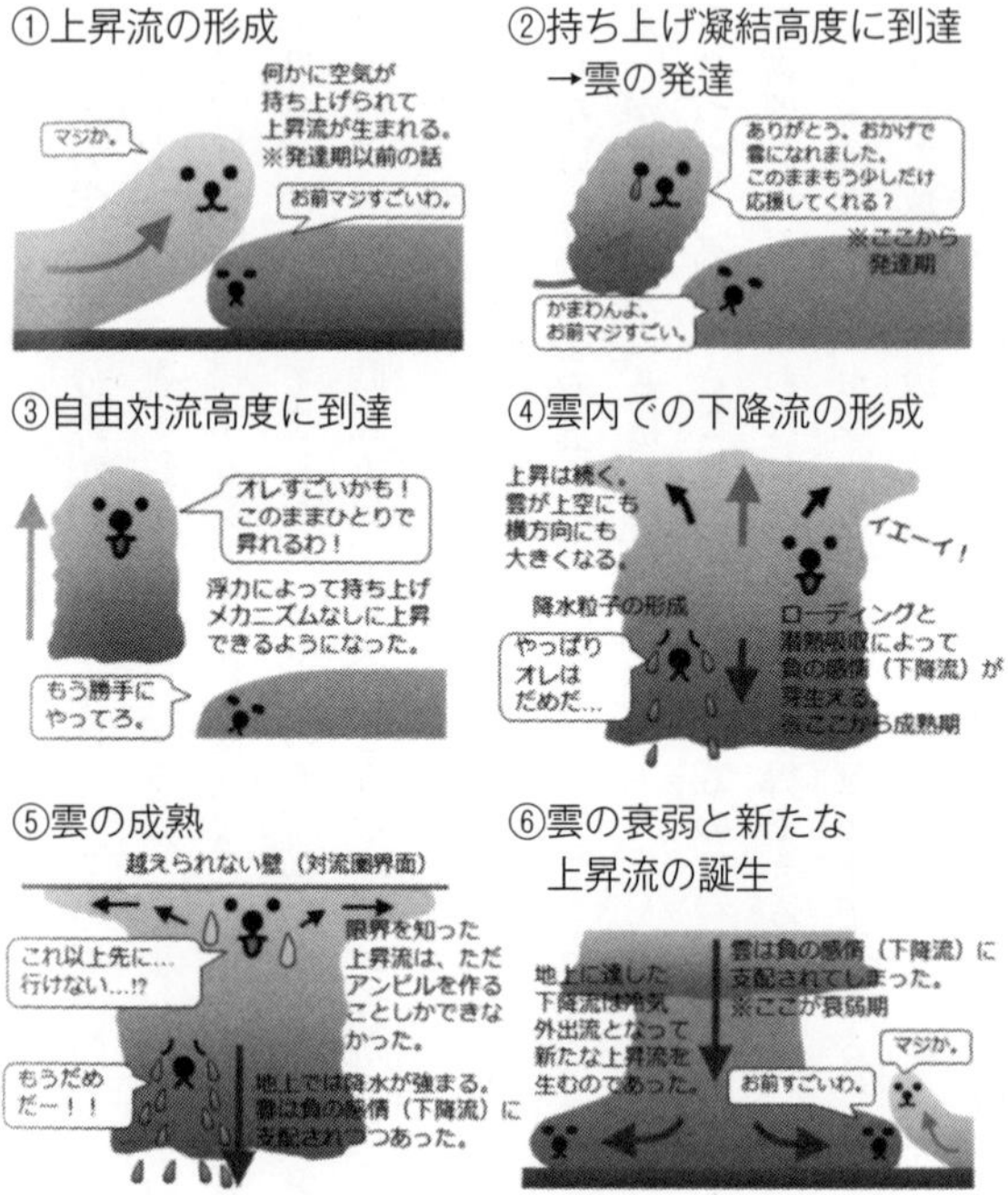
①上昇流の形成
何かに空気が
持ち上げられて
上昇流が生まれる。
※発達期以前の話
マジか。
お前マジすごいわ。
②持ち上げ凝結高度に到達
→雲の発達
ありがとう。おかげで
雲になれました。
このままもう少しだけ
応援してくれる？
※ここから
発達期
かまわんよ。
お前マジすごい。
③自由対流高度に到達
オレすごいかも！
このままひとりで
昇れるわ！
浮力によって持ち上げ
メカニズムなしに上昇
できるようになった。
もう勝手に
やってろ。
④雲内での下降流の形成
上昇は続く。
雲が上空にも
横方向にも
大きくなる。
イエーイ！
降水粒子の形成
ローディングと
によって
（下降流）が
やっぱり
オレは
だめだ…
⑤雲の成熟
越えられない壁（対流圏界面）
限界を知った
上昇流は、ただ
アンビルを作る
ことしかできな
かった。
これ以上先に…
行けない…!?
もうだめ
だ～！！
地上では降水が強まる。
（下降流）に
つあった。
⑥雲の衰弱と新たな
上昇流の誕生
雲は負の感情（下降流）に
支配されてしまった。
※ここが衰弱期
地上に達した
外出流となって
新たな上昇流を
生むのであった。
マジか。
お前すごいわ。

「積乱雲の一生」（『雲を愛する技術』より）

「二〇一四年に、はじめて一般書を書いてから、雲が今みたいに好きになりました。その時に、初めて雲の「心情」を考えたんですよ。空気の塊のキャラ、パーセルくんを使って、積乱雲の一生を考えてみたり、ですね」

荒木さんが描く「積乱雲の一生」の中で、パーセルくんは実際に「感情を持つ空気の塊」だ。積乱雲ができるには、まず何らかの理由で空気の塊が持ち上げられて上昇気流を作らなければならない。たとえば、冷たい空気に温かい空気が持ち上げられる場合など。冷たいパーセルくんと温かいパーセルくんとの間で、

「お前、マジすごいわ」

「マジか」

などと言葉が交わされる。

やがて、温かいパーセルくんが自発的に上昇しはじめると、

「オレ、すごいかも！　このままひとりで昇れるわ！」

「もう勝手にやってろ」

ということになる。

そして最終的には越えられない壁（対流圏界面）に達し、降水などをきっかけに、パーセ

ルくんは負の感情（冷たい下降流）に支配されて、「もうだめだー‼」となり、衰弱していく。積乱雲は、いい気になって成長したにもかかわらず、自らの負の感情で自滅する自虐キャラなのである。

ただし、希望（？）もある。地上に達した下降流は新たな冷たい外出流のパーセルくんとなり、別のパーセルくんを持ち上げて上昇流を生む。「お前、マジすごいわ」などと言いながら……。

ユーモラスだが、きっちりついていくにはそれなりに集中力を要する。やわらかい言葉の背後には必ず物理過程があり、数式は使わずとも数理的な背景を感じさせる。そんな筆さばきだとぼくには思える。しかし、それと同時に、荒木さんは、雲のことを「この子は格好いい」などと愛しげな目で語るのである。

というわけで、ポップな雲研究者荒木さんは、実はゴリゴリの数式愛の人であり、同時に雲愛の人である。雲を愛する技術は、数理的な知識に裏付けされている！　そのように理解しておけば、これから荒木さんの一般向けの著作を読む時に、より深みを感じられるに違いない。

## 自分史上最高の雲

さて、そんな硬軟両面から雲に肉薄する荒木さんに聞いてみたいのは、荒木さんにとっての「自分史上最高の雲」だ。

たぶんに数理的な物理過程への関心と、あふれる雲愛とが重なり合った頂点にある雲とは？

「一つ選ぶなら、スーパーセルですね」と荒木さんは言った。

「二〇一五年八月に、この建物の屋上で撮った雲なんですけど、スーパーセルという巨大な雲に伴ってできるウォールクラウドというのを初めて見たんですよ。レーダーの画像を見ていたら、何かが来そうだったので、屋上にあがって張っていまして、それで偶然、これに出会えたんで、テンションが上がりました。実は、日本国内でこういうスーパーセルに伴う雲の時間変化がちゃんと観測されたのは初めてで、そのまま気象学会誌に投稿したくらいです」

スーパーセルというのは、長寿命で巨大な積乱雲のことで、強い竜巻を発生させたり、巨大な雹《ひょう》を降らせたりする。遠巻きに見ると、巨大な塔のような雲が、反時計回りにゆっくり回転しているのが分かり、終末もののSF映画に出てきそうな禍々しい光景になる。

ただ、日本ではあまり発生しないし、きちんとした観測例もなかった。だから、つくば市でスーパーセルが発生し、それを荒木さんが見ていたというのは、単に見た目がすごい雲の写真や動画が撮影できた、というだけでなく、学術的な意味も大きかった。

荒木さんは、その時に撮影した動画を再生しながら、解説を続けた。

「――私、もう興奮しちゃってます。ウォールクラウドというのは、スーパーセルの雲底からさらに下に伸びる壁のような雲のことなんですが、これ、もう教科書に書いてある通りなんですよね。進行方向の前後に、降水域があって、その間のウォールクラウドの中には強い上昇気流があります。一方で、ちょっと離れたところには、冷たくなって降りてきた空気の塊が外に向けて吹き出す風の強い部分があります。その突風のことをガストと呼ぶんですが、この時も強い風が吹いてますね。そして、ガストの先端部分がガストフロント、つまりは突風前線です」

「――別の時に、ガストフロントが研究所を直撃したことがありまして、そちらも動画を撮ってあります。風で建物がゆらゆらしたくらいですから。もう私、何を言ってるか分からないですね」

動画の中の荒木さんは、自身で言う通り、興奮を隠せず声がうわずっていた。

「これ、みなさんにもオススメしたいんですけど、パソコンで仕事をしている人などは、気象庁の雨雲の動き（高解像度降水ナウキャスト）などの情報を開けるようにしておくといいですよ。なにかが近づいてくるぞと思ったら、外を見てみるとこういうのに出会えるかもしれません。私は、大気の状態が不安定な日には、だいたいいつもこうやってレーダーを見ていて、これは何か面白いものかもと思ったら雲が来るタイミングを見計らって屋上で張って、待っていますから」

もっとも、スーパーセルが来たなら、わざわざ外に出るのは推奨できない。台風の時に海に近づいて波を見たり、川に近づいて流れを見たりするのが危険なように、スーパーセルが通過する時に外出するのにも危険がともなう。

「近づいてきたら、みなさんは屋内に待機してください。でも、僕は研究者だから（笑）」と荒木さんは言うのだが、その点、ちょっと雲を愛するあまり、危険な雲に近づきすぎる人が出てくるのではないかと心配になった。

「いや、それは逆です。実は、ふだんからこうやってレーダーを見て、なんか面白い雲が来るかもしれないとチェックするようになれば、防災にもつながるかなと思っていまして。雲を愛でるのと、危険な雲を見分けるのは、裏表なんですよ」

このあたりは、後でもうちょっと敷衍《ふえん》して教えてもらう必要がありそうだ。というのも、荒木さん自身の研究テーマには、こういった積乱雲にまつわるものもひとつの軸として含まれているからだ。

## 「ゲリラ豪雨」から身を守る

「よくテレビでゲリラ豪雨って言われるじゃないですか。あれって、気象関係者から見ると、悔しいんですよね。ちゃんと予測して警報を出した事例でも、夕方の番組でゲリラ豪雨と言われてしまうこともあるわけです。でも、考えてみてください。予測できないからゲリラなんですよ。ちゃんと予測しているのにゲリラと言われても釈然としなくて」

積乱雲の予測と防災にまつわる話題を、荒木さんはこんなふうに語り起こした。

ゲリラ豪雨というのは気象庁が定めた正式な用語ではない。突然降って、突然去っていくような、局地的な大雨のことを、予測できているかどうかにかかわらずマスメディアでは「ゲリラ」と呼ぶことが多い。

これは、気象庁の言葉では、むしろ「局地的大雨」に相当する。「急に強く降り、数十分の短時間に狭い範囲に数十ミリ程度の雨量をもたらす雨」というのが定義だ。荒木さんは、もう一歩踏み込んで、災害をもたらしうる局地的大雨のことを、「局地豪雨」と呼ぼうと提唱している。

マスメディアでは、報道に値する一定の被害、たとえば都市での道路の冠水や浸水などをもたらすものでないと報道されないので、ことテレビなどで見るものについては、荒木さんがいう「局地豪雨」、つまり、「局地的大雨のうち、災害を発生させるもの」に相当するかもしれない。

さらに気象庁には「集中豪雨」という言葉もあって、「同じような場所で数時間にわたって強く降り、百ミリから数百ミリの雨量をもたらす雨」とされている。このレベルになると、土砂災害、河川の氾濫といった大規模な水害の原因となる。

ちょっとこのあたり、用語がひとすじなわではいかないが、大気現象としては局地的であることには違いない。範囲と時間の要素を抜き出すと、局地的大雨は「狭い範囲」「数十分」で、集中豪雨は「同じような場所」「数時間」とされている。後者の方が範囲としては広く、長く降り続くと想定されている。

こういった大雨の原因となるのは積乱雲だ。一つの積乱雲の寿命はせいぜい一時間ほどで、もたらす降雨は数十ミリくらいだから、局地的大雨は一つの積乱雲でもその原因たりうる。

一方で、何時間にもわたって一〇〇ミリを超えるような雨を降らすには、複数の積乱雲が組織化しないと無理だ。

「一時間に一〇〇ミリメートルの雨って、想像できますか」と荒木さんは言った。

「それって、一時間に一〇〇ミリメートル、一〇センチの水が溜《た》まるということですから、一メートル四方あたりの重さとしては一〇〇キログラムです。つまり、一時間に一度、体重一〇〇キロの小ぶりな力士が落ちてくるのと同じだと考えてください。その雨の中では、もう視界を奪われて、雨滴が地面を叩《たた》きつける轟音《ごうおん》以外聞こえなくなります。滝の中にいるような圧迫感だとよく言われますね」

一メートル四方の地面に、小ぶりながら立派な力士が降臨する姿を想像すると、なにやらものすごいことであるのはよく分かる。それも隣の一メートル四方にも、またその隣の一メートル四方にも同じように降ってくるのである。

「局地的大雨も集中豪雨も、局地的な現象ですから、たしかに予測は難しいんです。今は、予測に成功することもありますが、でも、予測できないことも多いので、精度を上げていくのはやはり大事です。積乱雲ができるには、下層の空気を持ち上げるメカニズムが必要です。このメカニズムにもいろいろありまして、まずは関東地方の話をしましょう」

具体例に入る前に注釈しておきたいのだが、積乱雲というと「夏休みの象徴」ともいえる入道雲を想像する人が結構いるようだ。しかし、ちょっと違う。入道雲は雄大積雲のことで、積乱雲の弟分だ。入道雲がさらに成長して、雲頂が成長限界（大気の状態が非常に不安定な時には対流圏の界面）に達すると、横に広がりだして「アンビル」（鍛冶の金床に似ていることから「かなとこ雲」ともいう）という構造を見せたり、高空のジェット気流の影響でてっぺんが毛羽立ったり、吹き飛ばされた氷晶からなる巻雲を伴ったりするようになる。この規模になったところで、積乱雲と呼ぶ。坊主頭の入道雲には、まだまだ上に成長の余地がある（なお、積乱雲になっても、頭がてらっとした「無毛」のままの場合があるので、入道雲だと思っていたら、実は成熟した積乱雲だったということもありうる。ここでは入道雲＝積乱雲ではないと知ってもらえればよいと思う）。

いずれにしても、こういう雄大積雲や積乱雲は、下層の大気がなんらかの原因で持ち上げられて、持ち上げられた先の周囲の大気との関係で、自ら上昇し始めることで始まる。最初の上昇のきっかけは外から与えられる必要があり、それを「対流の起爆」と呼んでいる。起爆が起これば、その後、積乱雲は自ら成長していく。

起爆の原因となりうるのは、こんなふうだ。

「晴れて気温が上がる夏の日には、関東甲信地方では大規模な海風が発生します。海上から内陸に向かう風なので水蒸気がたくさん含まれています。それが、山地に当って上昇することで起爆がおきます。これはまだ比較的予測しやすい場合です」

この場合、山という目に見えるものによって空気の塊（つまりパーセルくん！）が持ち上がり、起爆が起きる。荒木さん自身が、マイクロ波放射計（後述）という装置を使って、水蒸気分布を調べ、そのメカニズムを明らかにした研究がすでにある。

「水蒸気をたっぷり含んだ海風が吹き込んできて、高度一・五キロくらいまでの厚さで水蒸気量が増えるんです。よく「大気の状態が不安定」といいますが、下層の水蒸気量が増えるほど不安定になり、不安定の度合いが大きいほど積乱雲は少しの持ち上げでより高くまで発達できるようになります。日中一二時ぐらいにかけて不安定度がピークになって、それから降水が始まり、その降水ピークは一七時です。そうやって、大気の不安定な状態が解消されるわけです。山で発生する積乱雲は、どこかで発生しそうだということはある程度は予想できつつあるんですが、正確な予測は未だ難しい状況です。今は観測によって積乱雲発生のプロセスを理解していって、予測モデルを改良していけるかな、というところです」

そして、山地がかかわらない局地的大雨の予測は、さらに難しい場合が多い。

「――海風がさほど強くない状態ですと、茨城沖の鹿島灘《かしまなだ》や千葉の九十九里浜、東京湾、神奈川の相模湾などから別々に陸上に吹き込んだ海風同士が、内陸でぶつかって収束し、上昇気流が生じることで対流の起爆が起きることもありますね。こちらは山という地形に限定されないわけです」

「――いったん出来た積乱雲が、別の積乱雲に関与する場合があります。積乱雲は衰弱していく時に下降流が強くなるわけですが、その下降流が地表で吹き出すいわゆるガストフロント同士が、衝突したり融合したり交差したりすると、やはり上昇流ができて新たな対流の起爆になりうるんです。またガストフロントと海風が作用することもあります。こういう場合、ひとつ前の積乱雲まで正確に予測できないといけなくなって、とても予測がむずかしくなるんです」

山地に水蒸気を含んだ風がぶつかり「対流の起爆」が起きる場合、山という地形がある分、場所がかなり限定される。しかし、海風が収束する場合や、ましてやすでにできた積乱雲の下降流が次の積乱雲の「起爆」にかかわる場合など、考えるだけでややこしい。

「結局、山地での研究につづいて、他の場所でも、気温や風、水蒸気の観測を高密度・高頻度にとっていくというのが今やっていることです。特に水蒸気の観測って今、注目されてい

カラス対策が施された気象研究所のマイクロ波放射計。写真提供：荒木健太郎

ますね。雲って水蒸気がベースになってできるわけですが、レーダーで観測できるのは、雲の中で水滴や氷の粒が成長した後なんです。水蒸気の状態では見えません。だったら、その雲になる前の水蒸気がどの高さにどのくらいあるのか。マイクロ波放射計を使って観測して、積乱雲の発生前からの予測をしようというのが、今、私がやってる取り組みですね」

　マイクロ波放射計というのは、レーダーのようにみずから電波を発して反射波を見るのではなく、水蒸気、酸素、雲水などが発している放射（電波）を観測して、水蒸気分布や気温分布を求める。この方法自体、荒木さんたちのチームが開発して、良好な結果を得ている。前述の山地での積乱雲の研究や、二〇一二年につくば市で起きた竜巻を観測して、その竜巻を生んだ積乱雲の発生環境について観測値を得るなど世界的にも貴重な知見を生み出している。

　なお、それは今、荒木さんの研究室の建物の屋上にあるのだが、観測をするために、荒木さんが日々、戦っているのは、なんと、カラスだ。

「特殊なセンサーを包むドームに、特別な柔らかい素材を使っているんですけど、カラスがつついて穴を開けちゃうんです。そこから雨水が入ると故障の原因になってしまって、馬鹿になりません。一台数千万とかするんで。それで、トゲトゲをつけてみたり、釣り糸を張ってみたり（笑）。この釣り糸がわりと効果があって、今は大丈夫なんですけど」

様々なレベルでの苦労がありつつも、精緻な観測ができるようになって、やがて予測可能なものになっていくというのはたのもしい。

もっとも、それだけではダメだと荒木さんは強調した。

「こうやって積乱雲を予測できるようになっても、情報を知らずにいきなり出会った人にとってはやはりゲリラ豪雨なわけです。情報を自分からとりにいって活用するのは、結局、ふだんから空を見上げて雲を見ていたり、気象情報やリアルタイムのレーダーを見たりして能動的になっていないと。それに、防災をしようと気を張ってしまうと、いずれ疲れてしまってなかなか長続きしない。だから、楽しみながら、雲で遊んだり、雪の結晶で遊んだりしていて、自然と防災力が高まるといいなと思っているんです」

なるほど、そういうことか。荒木さんが「雲を愛でるのと、危険な雲を見分けるのは、裏表」であると言った真意が理解できた。雲愛というのは、雲を愛でることには違いないけれど、それは雲をより深く知り、正しく恐れることにもつながって、防災力をも高めるものなのだ。

多くの人がそんな態度を身に付けたら、きっと、不意打ちを食らうゲリラ豪雨というのはほとんどなくなって、「ちょっと激しい通り雨」くらいになるのかもしれない。降るたびに被害がある関東の雪も、分かっていたら前日のうちに自動車のチェーンや滑りにくい靴を用意したり、そもそも予定を整理して大きな移動をせずに済むようにできるかもしれない。

雲を楽しみ、自分や家族や友人を護《まも》ることができるというなら、言うことはない。

そのためにも、日々、雲を見上げては愛で、雲友の輪を広げようではないか！

## 研究を志す若い人へ

荒木健太郎

みなさんにとって雲とはどのような存在だろうか。もしかするといままで気にもとめたことがない、雨が降ったら嫌だな、そのくらいのものかもしれない。しかしながら、雲はまだよくわかっていないことも多くある、とても良い〝研究素材〟なのだ。雲は天気だけでなく気候にも大きく影響を及ぼしているが、特に雲の中で起こっていることには未知が多い。そのため天気予報や気候変動予測のためのシミュレーションにも不確実性が残っていて、目の前の空に浮かんでいるその雲ですら、現在の科学では正確な予測はできないのだ。要は、これだけ科学が発展した現代においても、身近なところにわかっていないことが多くあるのである。計算機が発達して超高分解能のシミュレーションができるようになっても、基礎理論がわからないと計算のしようがない。その意味で、観測が非常に重要なのである。研究のための観測は目的に応じて色々な計測機器を使って行われるが、まずは目で見て肌で感じて、観察をしてみてほしい。雲は身近な大自然であり、それを感じながら雲の謎を解き明かす研究をするのはめちゃくちゃ楽しい。読者の方と将来、マニアックな雲談義をして研究できることを願っている。

# 謎に満ちたサメの生態に迫る

佐藤圭一

## さとう・けいいち

1971年、栃木県生まれ。一般財団法人沖縄美ら島財団総合研究センター、上席研究員、沖縄美ら海水族館副館長。博士（水産学）。専門は軟骨魚類（サメ・エイ類）の比較解剖学および繁殖生態学。1994年、北海道大学水産学部水産増殖学科卒業。2000年、北海道大学院水産科学研究科博士課程修了。同年、（社）沖縄海洋生物飼育技術センター勤務を経て、2017年より現職。

サメは我々、哺乳類にとって、進化の大先輩だ。存続してきた時間的な長さだけでなく多様性についても際立っており、特に繁殖の仕方には本当にびっくりさせられる。卵を生んだり、赤ちゃんを産んだり、子宮の中でミルクやスープを提供したり、胎仔《たいし》どうしが共喰《ともぐ》いしたり……もう「なんでもあり」と言える。それを教えてくれたのは、沖縄の美《ちゅ》ら海《うみ》財団総合研究センターの佐藤圭一さんだ。一般には危険な魚だと思われているサメだけれど、実は生き物としての「センス・オブ・ワンダー」に満ちていて、理屈抜きに物凄《ものすご》い。佐藤さんと話した後では、サメのイメージが、いやそれどころか「生き物」や「進化」や「適応」についてのイメージが大きく変わるほどだった。そして、サメの謎を解き明かす世界的にも最先端の研究所が日本にあるということが、ことさらうれしくも感じた。この研究センターは、観光客にとても人気のある美ら海水族館に併設されて運営されており、娯楽の場だと感じている人たちが多いであろう水族館の研究機能という点でも注目すべきものだ。佐藤さんは、娯楽と科学、水族館と海、飼育下と野生のはざまで、サメという野生生物の謎を追っている。

## サメに襲われる被害は増えている？

このところ「サメに襲われた」というニュースをよく耳にする。YouTubeにShark Attackと打ち込むと、おびただしい数の動画が見つかるし、死亡事故も少なくない。二〇一九年には、ハワイ・マウイ島、南太平洋のニューカレドニア島、西大西洋バハマ諸島のローズ島共和国、といった世界中のあちこちで起きたサメによる死亡事故の報道が、日本語のニュースでも確認できる。

また、アメリカのフロリダ自然史博物館（Florida Museum of Natural History）が集計している「国際サメ被害目録（International Shark Attack File）」を見てみると、二〇一五年、サメが人を襲った事故は全世界で九八件（死亡事故は六件）で史上最高を記録した。その後も、件数は高止まりしており、年間平均八四件（二〇一三〜一七年の五年平均）というのが、よく言及される数字だ。

危険なサメが増えている。少なくとも、人と接触する機会が増えている。そんなふうに感じざるをえない。

そんな折、日本に世界でも屈指の「サメ研究所」があると知った。沖縄本島の空港がある那覇から北東に車で二時間ほど走った「海洋博公園」に隣接したものだ。

すでにピンときている人が多いと思うが、海洋博公園は、日本のみならずアジアで大きな人気を誇る、沖縄美ら海水族館があるところだ。実は、水族館運営を受託している沖縄美ら島財団が「総合研究センター」という組織を設置しており、その中の動物研究室が、日本一そして世界屈指の「サメの研究所」なのである。

動物研究室の室長でサメ研究のリーダーでもある佐藤圭一さんにお会いして、まず最初に問いかけた。

「サメによる被害は増えているみたいですね。それはつまり、サメが増えていると考えていいのでしょうか。我々は何に気をつけなければならないでしょうか……」

佐藤さんが瞬間的に浮かべた、ちょっと困った表情が忘れられない。ひょっとすると「やれやれ」という雰囲気だったかもしれない。それでも、すぐににこやかに説明をしてくださった。

まずは基礎的なところから。

「人を攻撃するサメといえば、ホホジロザメ、イタチザメ、オオメジロザメというのが御三家です。イタチザメ、オオメジロザメは、南のほうに限られているので、沖縄であれば一年中、その三種類のサメが分布してますし、本州ですと、年中遭遇しうるのはホホジロザメだけ、ということになります。我々は、みんな生きたものを見たことがありますが、ホホジロザメは体の大きさといい顎の分厚さといい、別格の捕食者だと感じます。目つきもほかのと違うんですよね」

ホホジロザメは、沖縄から本州、北海道まで、出くわす可能性のあるサメだという。そして、イタチザメ、オオメジロザメは、あたたかい水域のみで、沖縄なら常に見られる。つまり、沖縄には、「御三家」が揃《そろ》う、日本ではまれな海があるのだ。

「でも、沖縄での事故ってそれほど多くないんですよ。沖縄はリーフが発達していて、海のレジャーはその内側でするものが多いのと、あと、サーファーの数もそんなに多くはない。それで、おそらく遭遇する確率も低いのかなと思ってます。少なくとも被害が増えているというかんじではないですね。これは、日本全国でも、国際的にも同じです。年によってばらつきがありますが、長期トレンドとして増えているというふうには読めない」

もちろん、事故がまったくないわけではない。漁師、ダイバー、サーファー、海にかかわる人たちが、サメに襲われる事故は、沖縄ではしばしば起きる。いや、日本の他の場所でも、世界中どこでも起きている。かといって劇的に「増えている」という話でもなくて、ぼくの質問は、どうやら、ちょっとピントのずれたものだったらしい。

「国際サメ被害目録は、フロリダ自然史博物館のジョージ・バージェスさんという研究者がずっと統計を取っているんですが、ひとつ、問題点があって。サメの研究者がいるところであれば、常に彼と情報を共有できるんですが、どうしても東南アジアですとか、事故があっても情報が伝わりにくい地域も多いんです。その一方で、今は、携帯で写真を撮って、すぐ送れるようになってますから、最近、サメの目撃例が多くなったというのは、もしかするとそれが一番の原因かもしれないですね」

たしかに、国際サメ被害目録でも、同様の但し書きが添えられていた。研究者の目が多いところは情報が密で、北米やオーストラリアは、記録されている事故がとても多い。一方で、携帯端末やネットの発達によって、これまであまり情報が知られていなかった地域からもサメ情報が、直接、届くようになり、我々が普段の生活を陸の上で過ごしている間に触れるサメ情報は画期的に増えてきた。そんな背景だ。

「では、実際にサメが増えているかというと、アメリカでホホジロザメを保護するようになったので、ホホジロザメの数が少し増えているのではないかという話は、確かにあります。でも、全体としては増える傾向にはないと思ってます。むしろ、減っている種も多い。世の中的には注目されないんですが、比較的深海のサメが乱獲されていて、特にアイザメ属なんか、ひどい状態です。今、沖縄で、我々がサンプリングのために船を出しても、ほとんど採れないですから」

## 激減する深海ザメ

なるほど、サメが増えているかどうかという問いに対しては、基本的には減っている、少なくとも乱獲で数を減らしている種類が多いということだ。

サメにかかわる事故対策は大切で、マリンレジャーが好きな人も、海で仕事をする人たちも、気をつけなければならないことを周知すべきだけれど、それはまたその筋の専門家の仕事だ。ぼくが今、訪ねている「サメの研究所」は、どうやらその場所ではないと、このあたりではっきりと気づいた。むしろ、「減っている」ことについて佐藤さんは、深い関心をよせていることがありありと分かる。

「アイザメ属のサメは、世界に何十種類もいるんですが、スクワレンという物質を肝油から抽出する目的で捕獲されます。化粧品とか健康食品に使うんです。ビタミンが豊富だということで、昔からやけどに塗ったり、カメラや飛行機の潤滑油に使ったり、色々用途がありました。それで、東京湾あたりでもたくさん捕獲されていたんですが、本当にいなくなってしまっています。今は、海外の、たしかニュージーランドのあたりで漁獲されているはずです」

自分たちの身の回りにあるものの原材料に、野生生物が使われており、それもかなり収奪的なやり方で捕獲されているというのは、言われないと気づかない。まさに、深海ザメというのは、ぼくらの目が行き届かない盲点だ。

「サメって成熟するのに時間がかかって、世代間隔が長いんです。だから、一度減るとなかなか回復しない。スクワレンのために捕られているアイザメ属の中に、モミジザメというサメがいるんですけど、それにいたっては、成熟に至るまで四〇年以上かかるんですよ。体長一メートル以上になる、比較的大きな深海ザメです。沖縄あたりですと、水深三〇〇から四〇〇メートルよりも深いところにいまして、はえ縄や網でとります。はえ縄ならともかく、網でゴソッとやると、そこにいる生き物を全部さらってきますんで、一網打尽になってしまいます」

モミジザメというのはどんなサメか。ネット検索で簡単に情報が出てくる。陸揚げされた後に体が赤く染まった紅葉のような魚体を撮影したものが多い。深海ザメらしく、目が光っている。わずかな光も逃さないように反射膜、いわゆるタペータムがあるのだろう。これが

アイザメ属の1種であるモミジザメ。深海に暮らし、成熟になんと40年以上！かかる。
写真提供：沖縄美ら島財団

深海で泳ぐ姿を想像するだけで、ゾクゾクする。おまけに成熟まで四〇年以上かかるというのは、わずか十数年で生殖可能（本当に生物学的な意味でなら）になる人間とくらべても遥《はる》かに世代間隔が長い。生き物としてのセンス・オブ・ワンダーに満ちている。乱獲の話題で紹介されたとはいえ、まずはそこに新鮮な驚きを感じた。

何年生きるのだろう。どんなふうに繁殖するのだろう。どんな生活史なのだろう。最初の関心からはかなり方向がズレてきたけれど、本来、自分もこっちの方に興味があるのだった。

「分かっていないことが多いんですよ」と佐藤さん。

「深海ザメにかぎらず、サメという種類そのものがミステリアスです。全然分かってないことが多くて、日々新しい発見が出てくるような、未知の生物ですね。我々が職員同士で話す時も、本当に分かっていないよね、というふうによく話題になります。それで、どこを研究するかということですが、我々の場合、サメがどうやって繁殖するかというテーマを一つ、大きく掲げています。サメって、一言で言えば繁殖様式のデパートみたいなもので、卵を産むものもいれば、お腹の中に子宮を作って保育する、つまり、我々、哺乳類と似たようなことをするものもいる。最近、保育するサメがものすごく多いことも分かってきまして――」

水族館と軒を並べた研究所だから、繁殖研究というのは、たしかに自然なテーマ設定だ。サメという生き物が、ひとつの分類群まるごと謎に満ちており、また、一部のサメは非常に数が減っていて、その回復には繁殖を中心とした生活史の解明が不可欠だという意味では、とても求められている研究でもある。さらにいえば、「繁殖様式のデパート」とまで言われる多様性とは？

シャークアタックから始まって前振りが長くなったが、これでようやく、佐藤さんたちの研究のコアな部分に入っていけそうだ。

### 三〇〇匹を妊娠するジンベエザメの繁殖の謎

ややセピアがかった古い写真には、水玉模様が印象的な魚が写っている。ちょっとずんぐりしているとはいえ、体型からしてサメだとは分かる。

衝撃的なのは、その数だ。漁港の片隅の床一面にだーっと並べられているのは、ざっと三

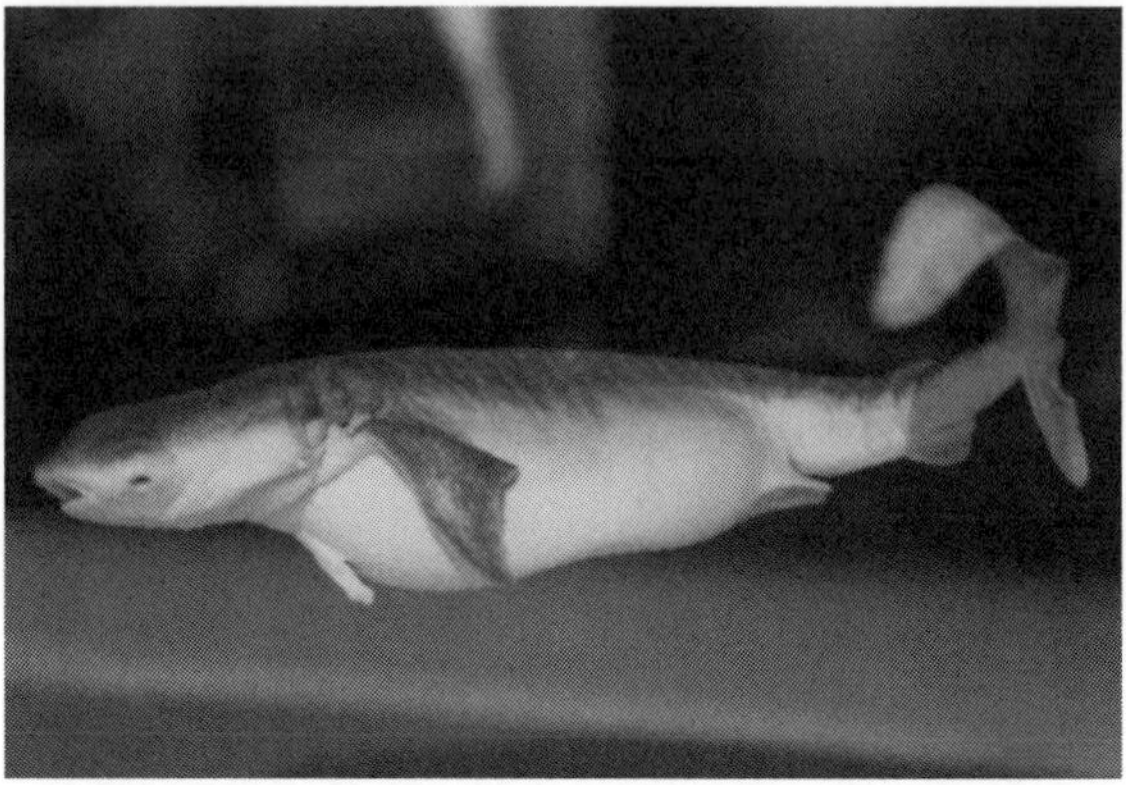

台湾で発見されたジンベエザメの胎仔の標本。沖縄美ら海水族館「サメ博士の部屋」で展示されている。現在、数体しか残っていないうちの貴重な1匹だ。

〇〇匹。一九九五年、台湾で定置網にかかったジンベエザメのお腹の中から出てきたものだそうだ。大きさが微妙に違うものもいて、成長段階が違う子が、胎内にいたこともわかる。

「実はこれだけ、なんですよ」と佐藤さんは言った。

「ジンベエザメは、とても人気がある魚ですけど、繁殖についてはまったく謎なんです。お腹の中から胎仔が出てきたというのも、この台湾の一例だけです。二〇一六年に国際ジンベエザメ会議というのがカタールでありまして、そこで出席している研究者たちに妊娠しているジンベエザメを見たことがあるかと聞いたんですが、誰も見たことがない。それどころか交尾をどうやっているか分からないんですね。妊娠期間がどのくらいか分からないですし、妊娠している間、子どもはお腹の中で何をやっているのか、栄養はどうしてるのか、一切分からない」

見事なほどの分からなさ加減だ。おまけに、成長段階の違う子が胎内に同時にいる謎もある。

「あそこまで胎仔の数が多いサメって、あんまりいないっていうか、ほかに知られていないんです。あれだけの数を排卵するっていうのは、相当、期間がかかると思うんですね。なので、恐らく、そのステージの差っていうのは、排卵・受精の時期にかなり幅があって、それによってあの差が出てくるのだという気がしています。これも、一例の観察での推測にしかすぎないわけですが」

ジンベエザメは、アグリゲーションといって、豊富なプランクトンが湧く海域に、たくさんの個体が毎年、同じ時期に集まってくる現象があって、そういった海域が世界各地でいくつも見つかっている。残念ながら、日本近海には今のところないのだが。

とにかく、ある特定の海域に特定の時期に赴けば、比較的、野生のものが観察しやすい。肉食ではないので、水中で観察するのも安全だ。国際ジンベエザメ会議が開かれるほど、関心をもつ研究者も多い。オーストラリアや東南アジアでは、観光としても人気が出ていて、毎シーズン、多くの観光客がジンベエザメのそばを泳ぐところもある。それなのに、誰一人として、妊娠しているジンベエザメも、交尾しているジンベエザメも見たことがないのだという。本当に、謎に次ぐ謎！

「ジンベエって、もっともミステリアスなサメ、というわけですね！」と興奮して言ったところ、「その通りです」と佐藤さんはうなずいた。

　でも、すぐに付け加えた。

「とはいっても、サメはだいたい分かっていないものの方が多いですね。シンベエばかりではなく、とてもミステリアスです。そもそも、ほとんど見つからないサメで、飼育もされていなければ、本当にわからないですから」

　ああ、なるほど。

　ぼくがふと思い浮かべたのは、例えば、ウバザメ。ジンベエ同様、プランクトン食の巨大なサメで、一昔前、死んで漂流しているものを漁船が見つけて、首長竜の死体だ！　などと騒ぎになったことがある。死んだ後で、顎が外れて、そのように見えていただけと後に分かったけれど、自分の子ども時代にちょっと心ときめかされた「未確認生物」の正体である。

　また、オンデンザメの仲間。寒冷な海に棲《す》む大型のサメで、北大西洋のニシオンデンザメは、なんと寿命が四〇〇歳にもなるのではないかと推定され、話題になったことがある。ウバザメもオンデンザメも、超大型のサメなので、生き物好きの間でカリスマ的な人気があるが、しかし、野生で見たことがある人はほとんどいないだろう。

「両方とも、今、ほとんど見つからないサメなので、やはり謎ですね。ウバザメはジンベエザメよりももっと数が少なくて、昔は日本でもたくさんいたんですが、今はもう全然見かけない。これは明らかに数が減っていると思います。オンデンザメも、ほとんど今、捕れない。やっぱり、そういう超大型のサメを研究するのは難しいです。例えば大学の研究者なら、ある程度短い期間で成果を求められるので、次、オンデンザメがいつ捕れるか分からない状態ではなかなか研究対象にできません。ましてや、妊娠しているオンデンザメをサンプリングするのは、もう、気長に一〇年待ってできるかどうかという話になりますから」

## 卵生か胎生かの違いは大きなことではない?

急にジンベエ研究の謎の度合いが、まだ希望の持てるものに思えてきた。というのも、ジンベエザメは、行く所に行けば観察できるわけだし、水族館でも飼っている。現にぼくが佐藤さんと話していた研究センターの一室から数百メートル離れた沖縄美ら海水族館の大水槽には、その時点で、三匹のジンベエザメがいた。

「ジンベエザメの繁殖について直接的に調べるには、飼育して、飼育下で繁殖するのが一番なんですよね。我々は今、それに挑戦しているんですけれども。今三匹いるうちの一匹がオスでして、三年ほど前に成熟に至りました。オスの場合、比較的分かりやすくて、まずクラスパー、つまり交接器が二次性徴とともにバーッと急激に長くなるんです。その過程を追えたということと、あとテストステロンっていう性ホルモンの値が急激に上昇したんですね。これはもう、間違いなく成熟しているだろうと。実際に性行動も多少見られるようになりました。それで、今、メスを待ってる状態なんですが、メスの成熟過程は、外見上、あまりわからないんです。それをどうにか血液から成熟判別したいと思っています」

とはいえ、ジンベエザメのメスの血液中のホルモンと性成熟の関係など、いまだ誰も見たことがないわけで、ただ定期的に採血できたとしても、心もとない。そこで、系統的に近く、飼育繁殖技術が確立しているトラフザメのメスを綿密に観察しているそうだ。

「トラフザメの場合、一年周期で性周期があるのが分かっていて、それをモニタリングして、ジンベエザメに応用できるホルモンなどの指標を見つけようとしているわけです。それと、うちの飼育職員が、水中にエコーの機械を持って行って、メスの体内で今、卵がどこの位置

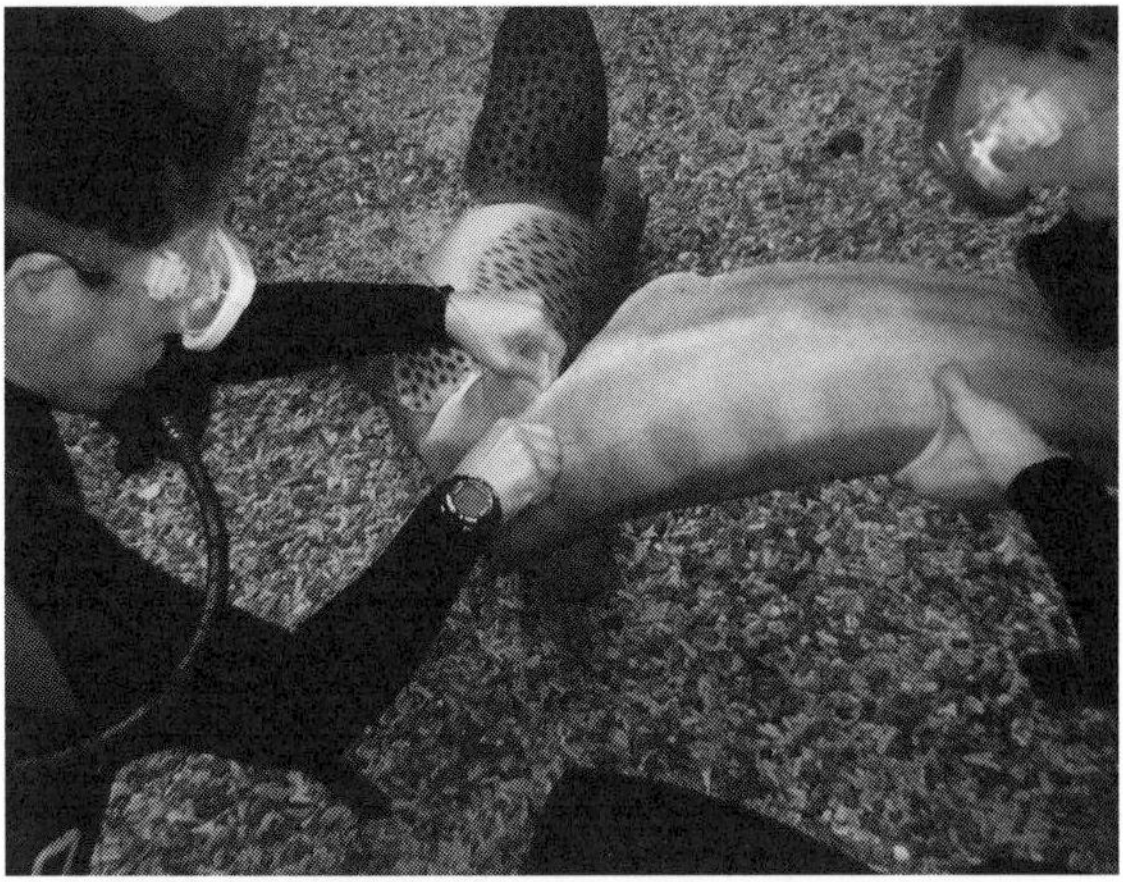

トラフザメの水中での採血風景。写真提供：沖縄美ら島財団

にあるか、大きくなっているかどうか、記録しているんです。それも克明に血液の動態と同時に観察しています。それで、血液の指標と卵の状態が分かってきます。こんなことやってる研究はほかにはないと思います」

後で水族館のバックヤードを案内してもらった時に、トラフザメが産卵した卵が大量にストックしてあるのを見せてもらった。人間の手のひらよりも大きな、立派な卵だ。殻はコラーゲンでできている。硬質だが、指で押すとベゴベゴする程度の柔軟性があり、つまり、割れにくい。自然界では、岩にへばりついたり、砂をまとわりつかせてアンカーにして、海底にどっしりと落ち着いて、半年くらい孵化《ふか》の瞬間を待つそうだ。

あれ？　と思った読者は、正しい。

系統的に近いということだけれど、ジンベエザメは、卵を産まずにお腹の中で胎仔を育てていたことになっている。少なくとも台湾の写真では。ということは、卵を産み落としているトラフザメの繁殖とは違うのではないだろうか。

「たしかに、そこは違うんですが、卵の殻をつくってお腹の子宮（輸卵管《ゆらんかん》）の部分に送り込むまでは、すべてのサメで同じ様式を取るので、トラフザメもジンベエザメもそこまでは同じと考えています。そこから先、胎内で子どもが孵化してお腹の中に出るか、それとも卵のまま外にでるかの違いなんですよ。そういう意味では、胎生・卵生って、我々からしてみると、大きく違うようには見えるんですが、実際のところそれほど大きな差ではないんです」

そういえば、サメは「繁殖様式のデパート」と言われていたっけ。卵生と胎生の違いは、陸上で言えば、トカゲなどの爬虫類《はちゆうるい》と人間を含む哺乳類の違いに相当するわけで、それを「大きな差ではない」と言ってしまえるのはちょっとすごいと思う。

「卵生と胎生の区別は、産み方に着目しているわけですよね。でも、繁殖様式とその進化を理解するには、産み方よりも、母体と胎仔の関係を見なければならないと考えていまして、その点で大事なのは、母体に栄養を依存しない卵黄依存か、何らかの形で母体から栄養供給を受ける母体依存か、というところです。これは、研究者の間でも最近、よく言われる考え方なんです」

ちょうど世紀の変わり目から二〇一〇年代にかけて、サメの科学でも大きく考え方が変わり、単純に「産み方」から卵生と胎生に分けて考えるのではなく、栄養を卵黄に依存するか、母体に依存するか、という軸でも考えるようになってきたのだそうだ。この話題は、ジンベエザメの繁殖についての話題をはるかに超えて、生命進化の一大トピックに発展していく予感だ。

## 胎内で保育するサメたち

四億年前には地球上に存在していたというサメが、どのような繁殖の仕方を開発してきたのか、その多様性を佐藤さんは、「繁殖様式のデパート」と呼んだ。

「すべてとは言いませんが、あらゆる子どもの産み方がサメというグループの中には見られるんですね。こんな生物群は多分ほかにないと思いますね。やっぱりサメの繁殖で一番興味深いのは、親が子宮の中にいる子どもに対して、保育することです。その上、保育の仕方がすごく多様なんですよ」

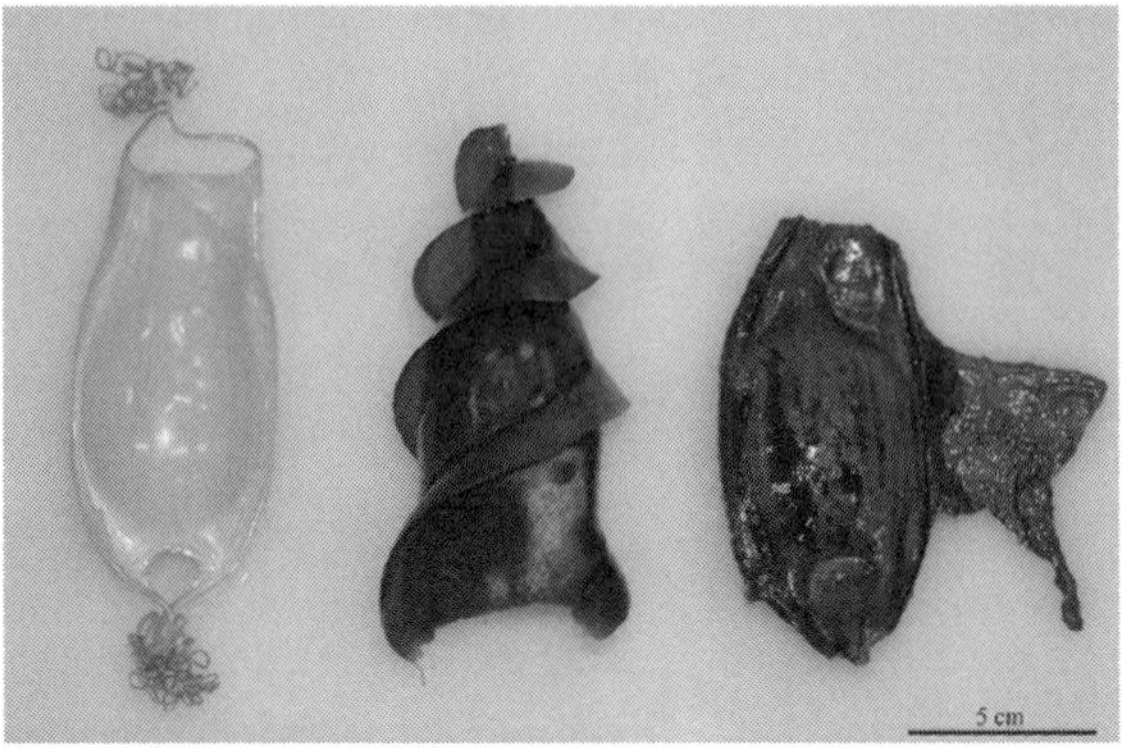


左から、ナヌカザメ、ネコザメ、イヌザメの卵殻。写真提供：沖縄美ら島財団

トラザメの仔魚と外卵黄嚢（ヨークサック）。中には栄養となる卵黄がたっぷり入っている。写真提供：沖縄美ら島財団

それはつまり、前節で紹介した「栄養を卵黄に依存するか、母体に依存するか、という軸」に関連する。新しい論点なので、知識をアップデートするためにも、佐藤さんに解説してもらいつつまとめていく。

まず、卵生のものは、ネコザメ科、一部のテンジクザメ目、ほとんどのトラザメ科が相当し、卵殻に守られた卵を海中に産み落とす。卵殻の形は種によって非常に特徴的で、よく水族館などで展示されているネコザメの卵はまるでドリルのようだ。

ところで、普通の魚（硬骨魚類）なら、メスが産卵したところに、オスが精子を放出して海中で受精させることが多いわけだが、サメやエイなどの軟骨魚類は交接器を持っており、受精が母体内で起きる。その点で、むしろ、「我々」に近い。卵生のものは、母体から切り離された卵殻の中で子どもが育つのだから、当然のごとく卵黄依存型だ。子どものお腹からつながった外卵黄嚢《のう》という袋（ヨークサック）に大量の卵黄を持っており、孵化するまでその栄養で成長する。

そして、次に「卵黄依存型胎生」というものがある。

これは、卵が母体内にとどまりつつも、栄養的には卵殻の中の卵黄に依存して成長するタイプだ。いわゆる「卵胎生」のイメージに一番近い。サメの中の様々な分類群で、このやり

卵黄依存型胎生の「ホソフジクジラ」というサメの子宮。中に細長い卵殻があり、その卵殻内に5つほどの受精卵が入っている状態。写真提供：沖縄美ら島財団

方をとる種がおり、実はジンベエザメもそうだと今のところ想定されている。「台湾の写真」にあった三〇〇個体もの胎仔も、二つある子宮に分かれてぎっしり入っていた。ヨークサックの大きさが違うものが混ざっていたため、一度にではなく順を踏んで、連続的に排卵・受精が続いたと考えられている。

以上が、卵黄依存型の二パターン。

考えてみたら、これまでぼくがサメの繁殖として理解していた、卵生と卵胎生というのは、ここまでで尽くされてしまう。しかし、実際には、サメは母体内で胎仔を保育するものがとても多いというわけだから、まだまだ先があるのだ。

## 子宮もあるし、胎盤もある。そして共食いも！

ところで、ジンベエザメの子宮ってなんだろう？「魚に子宮とは？」と違和感を抱いた。

「サメの子宮というのは、もともと卵を輸送する輸卵管の一部が変化したものです。硬骨魚類にも輸卵管はあるんですが、子宮とは言いません。胎生のサメに対して子どもを身ごもる場所として子宮と呼んでいて、サメの場合も、卵殻を排出するサメに対しては、子宮とはあまり言わず、やはり単に輸卵管です」

人間を含む哺乳類にも輸卵管があり、子宮がある。ただし、進化の歴史の中で、サメとはかなり古い時代に分岐しているわけで、それぞれ独自に輸卵管を子宮に発展させたのだろうと想像がつく。

では、子宮の中で、どんなふうに保育するのだろうか。

「卵食型・共食い型というのがあります」と佐藤さんは言った。

かなりエグい内容であることを予感する。というか、これは、わりと古くから知られているようで、ぼくも昔聞いたことがある。

「ホホジロザメなんかがまさにそのタイプで、卵食ですね。母体が作った卵の黄身、未受精卵なんですが、それをパクパク食べる。ホホジロザメの胎仔は、食べた栄養卵でお腹がいっ

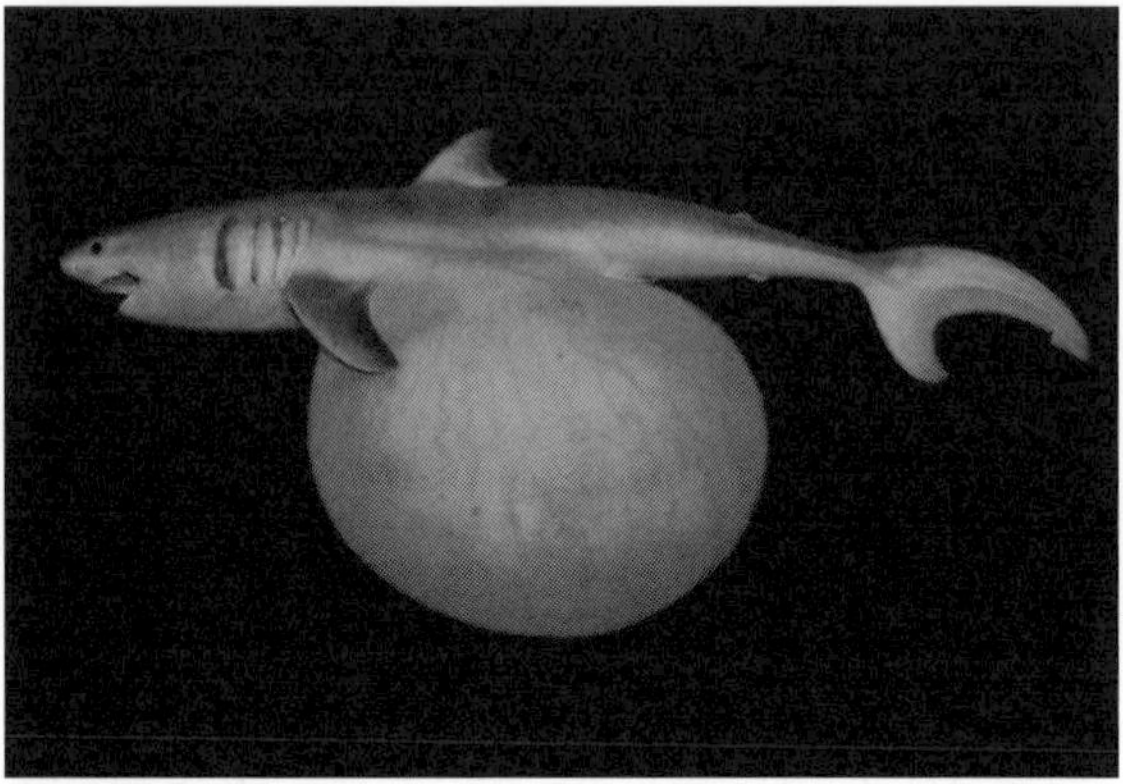

栄養卵を食べてお腹が膨れたホホジロザメの胎仔。写真提供：沖縄美ら島財団

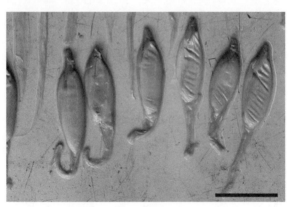

ホホジロザメの栄養卵のカプセル。写真提供：沖縄美ら島財団

ぱいになって、本当にお腹が大きく膨らみます」

見せてもらった写真（次ページ）は、まるで「卵黄嚢」がついているのかと思うくらい、腹が大きく膨らんでいた。この時に腹を裂けば、黄身がどろりと出てくるそうだ。

しかし、考えてみれば、これはこれで合理的かもしれない。母体はどのみち卵を作る器官を持っている。有精卵が胎仔になった後で、引き続き未受精卵の詰まったカプセルを提供し、栄養にするというのは、シンプルなアイデアだ。

「卵食型は、ネズミザメ目、チヒロザメ、オオテンジクザメの系統で、それぞれ独自に派生したものだと言われています。ですので、供給方法はそれぞれ違うんです。さらに、シロワニでは、最初の受精卵から発生した胎仔が、他の受精卵や胚《はい》を胎内で捕食する共食い型と言われています」

他の受精卵や胚というのは、つまり、自分の弟や妹、ということだ。胎内で、近親内の共食いはやめてもらいたい！　と心が叫ぶが、これが自然である。良い悪いの問題ではない。

卵食と共食い。いずれもインパクトの大きな「保育」だけれど、もっと別のやり方を、「繁殖様式のデパート」であるサメは持っている。

「偶然なんでしょうけれども、見かけ上、非常に人間に近い繁殖様式をとるようになったも

シュモクザメの胎仔。ヘソの緒の先端にあるまとまった部分が胎盤。サメの胎盤は胎仔の組織からできて母親とつながる。写真提供：沖縄美ら島財団

のがサメの中にいるわけです。胎盤をつくるサメです。胎盤を通じて母体から栄養を受け取ります。おそらく、ここまで明確な胎盤をつくるのは、哺乳類（有胎盤類）と一部の爬虫類のほかには、サメだけじゃないかなと。胎仔が胎内で卵黄を吸収した後も、母親はさらに保育をする。親からどんどん栄養が供給されて、体内に取り込んでいって、大型化して生まれてくる戦略をとったものが出てきたんでしょうね」

　なんと、胎盤！　ぼくはこの件、まったく知らなかったのでかなり驚いた。胎盤を持つ魚がいるなんて、世界の認識を一部書き換えなければならないくらい衝撃的だ。

「でも、一番直接的な栄養の与え方というの

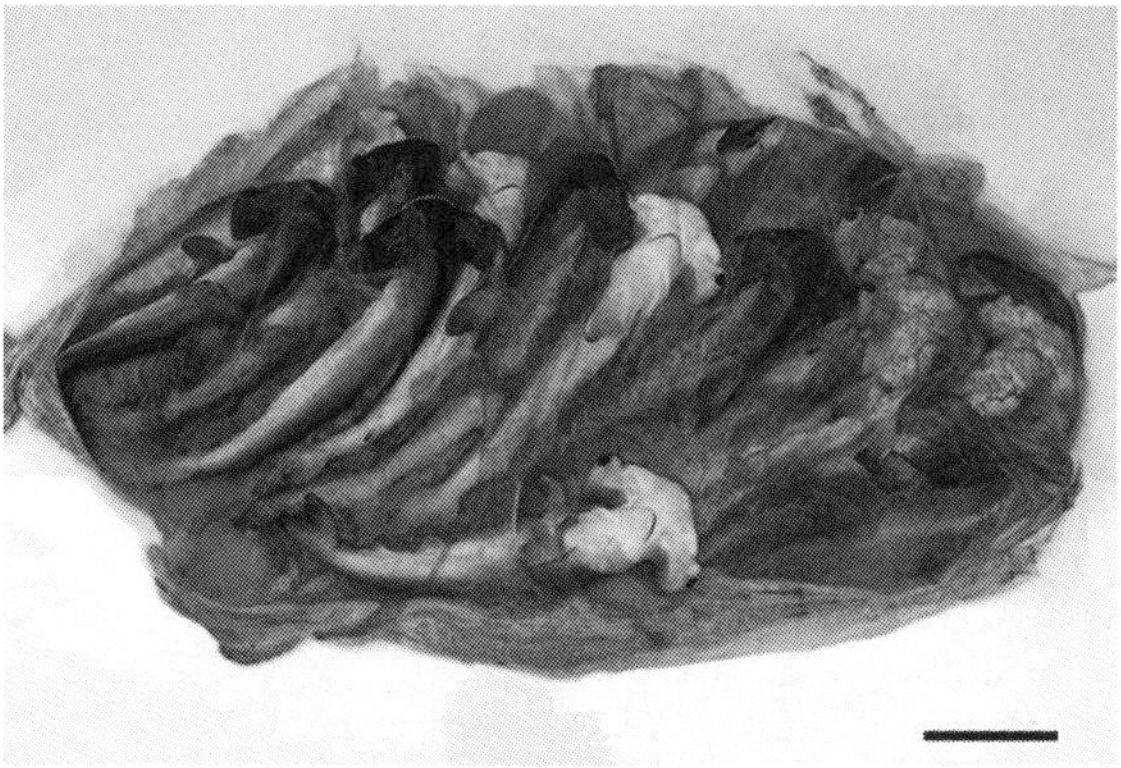

シュモクザメの子宮の中の状態を記録した大変貴重な写真。成体と比べると、1匹1匹の子どもの顔つきはやはりかわいらしい。写真提供：沖縄美ら島財団

は、やっぱり胎盤型なんです。サメの場合は卵黄嚢胎盤っていいまして、もともと胎仔が持っている大きな卵黄嚢がシワシワになって、やがて子宮にくっつきます。そのときも、子宮とその卵黄嚢の間には、しっかりした卵殻の膜が、挟まっています。ですから、そういうところでいうと、母体が胎盤をつくる人間とはちょっと違う。でも、最終的には似たものができるんですよ」

胎盤を通じて栄養供給するサメは、メジロザメ、オオメジロザメ、シュモクザメといった系統だ。

シュモクザメの胎仔を見せてもらった。小さくても、あの金槌《かなづち》状の一度見たら忘れられない頭の形状は同じで、お腹からへその緒が出ている。そして先端にはわさわさとした房のようなものがあり、それがすなわち胎盤なのだった。

「シュモクザメの場合は、二〇匹くらい同時に胎内にいて、胎盤で母体とつながっているんです。一匹一匹、こう、ギューッと漬物樽《つけものだる》に入っているようなかんじで詰まっています。可愛いです。いや、大きくなっても可愛いですけどね」

思わずサメへの「愛」をその時、佐藤さんはたしかに発露していたと思う。サメが可愛い、というのは、あまり多くの人には通じないはずだ。でも、たしかにぼくも、その時、佐藤さんと同じく、可愛い、と思ったのだった。

さて、胎盤での栄養供給まで来たので、それでおしまいかと思いきや、決してその程度では済まない。「繁殖形態のデパート」の本領を垣間《かいま》見るのはまだ先だ。

「実は、サメというより、エイなんですが、胎内でミルクを飲ませるものがいるんです。アカエイ類やトビエイ類がそうで、オニイトマキエイ、つまり、マンタもそうです」

もうどんなことが起きようと驚かない。

そう決意させせるに足るインパクトがある。サメ、というか、エイがミルクを飲む？　それも胎内で？　そんなことがありえるのだろうか。いや、ありえるのだ。別に珍奇な新説というわけではなく、すでに定説になっているのだという。

## 子宮の中で「授乳」する

サメやエイは、硬い骨を持たない軟骨魚類で、サメはすでに四億年前にはこの世界に姿をあらわしていたという。エイはその後、分岐して新たな分類群となったようで、サメとエイをあわせて板鰓類《ばんさいるい》と呼ぶこともある。

現在、サメは分かっているだけで五〇〇種以上いて、熱帯から極地方まで、深海から浅い海まで、まんべんなく分布している。中には、最上位の捕食者として君臨するホホジロザメや、最大の魚類であるジンベエザメなど、我々から見てもカリスマ的な種が存在している。また、エイも淡水から海水まで世界中に進出しており、オニイトマキエイ（マンタ）は、その大きさといい、水中を飛ぶかのように泳ぐ様といい、非常に人気が高い。

そして、エイの中には、なんと胎内でミルクを与えるものがあるというのである。

「子宮の壁に、ミルクを分泌する栄養子宮絨毛糸《じゅうもうし》という組織が発達して、栄養価の高い脂質を分泌するんです。子宮ミルクです。それをゴクゴク飲んで、比較的短期間に大きくなります。うちの水族館はマンタが毎年繁殖するんですが、妊娠期間は一年間なのに、出産時には体の幅が一八〇センチメートル、体重が七〇キログラムにもなっています」

さりげなく、沖縄美ら海水族館の実力をほのめかしてあまりある発言だと途中で気づいた。

というのも、マンタが毎年、繁殖するというのはほかではありえない偉業だからだ。世界的に見ても、マンタの繁殖に成功したことがある飼育施設は、今のところほかにない。それを「毎年」というのである。

そして、子宮ミルク。

出産の時の映像を見せてもらったが、これは本当にミルクのようだ。子どもが外に出た時点では、体に白いものがまとわりついていて、それがぱーっと散る。ミルクに包まれてマンタは生まれてくる！

ミルクというだけあって、やはり高栄養食なのだろう。一年間で体重七〇キロにもなるというのは、すさまじい成長ぶりだ。人間と比べるとあまりに違いすぎるが、アフリカゾウは二二カ月の妊娠期間で一〇〇キログラム前後の赤ちゃんを産むそうなので、それと同じくらいのオーダー。つまりは、哺乳類に負けない胎内での栄養供給能力を持っているといって間違いない。

それにしても、この子宮ミルクはいったいなになのか。本当にミルクっぽい。映像でみているだけだが、それにしてもミルクっぽいのだ。

「本当にミルクだと思いますよ。だって、においを嗅いでもミルクです。でも、成分はちゃんとは分かっていません。きちんとサンプリングしたいんですが、生きている個体に針を刺してとるわけにもいきませんし、生まれてくる時に体にまとっているものも、混ざりものなしに採取するのは難しいんです。でも、本当にミルクです」

とにかく、哺乳類である我々がミルクと認識するものを胎内で出して、胎仔を育てるということが分かった。

これにて、「繁殖様式のデパート」の解説、おしまい！

といきたいところだが、実はさらにさらに先がある。サメの繁殖生理学は本当に新しい分野で、どんどん新しいことが分かっている。

「まず、完全な卵黄依存というのはほとんどないのではないかという話が出ています。卵を外に産み落とすものでもその前に、子宮の壁から出る粘液のようなものを吸収して栄養にしているのではないかと。卵が胎内に留まる場合は、なおさらです。本当に母体からの栄養供給がないのか、卵黄依存といわれていたやつでも、そんなに単純ではないぞ、ということです」

卵黄か母体か、という分け方をした時、なにかそこに絶対的な線が引かれるような気がするが、実際は卵黄ももとはといえば母体が提供したものだ。親としてみれば、ちゃんと子どもが大きくなって元気に生まれてくれればいいわけで、最初にあげた卵黄で足りなければ、別の方法でさらに供給するのはやぶさかではなかろう。胎盤を作るのは効率的なやり方だし、別の卵を与えるのも（卵食）、ある意味、合理的だといえる。完全に卵黄依存と思われていたものの中にも、なにやらよくわからない分泌物で栄養補給をしている可能性があると言われても、ここまでくれば、そういうこともあるかもしれないと納得するしかない。

もっと言えば、佐藤さん自身の研究で、エイだけではなく、サメにもミルクを飲んでいるものがいることが分かった。これはつい最近の発見で、なんと、ぼくたちがよく知っている、ホホジロザメ！

「ホホジロザメは、胎内で卵食していると言いましたけど、最近、ミルクも飲んでいるのではないかと考えています。二〇一四年に混獲されて死んだホホジロザメの標本をいただいて解剖しましたら、子宮にどろどろのミルクが入っていたんです。もう、頭の整理がつかないくらいびっくりしてしまいまして。それで、子宮の壁の組織標本を作ってみるとマンタそっくりなんですね。染色して観察すると、脂質を大量に分泌していることもわかって、間違いないだろうと」

これはなんと言っていいか。卵を食べ、ミルクを飲み、至れり尽くせりの保育である。また、使える手段は使える範囲で使っていくという生命の柔軟性を感じてならない。

「ホホジロザメは、生まれてくる時に一三〇センチくらいになっていて、とても大きいんです。それを一〇匹とか抱えてるわけですから、お母さんはものすごく大変ですよね」

胎内の仔《こ》一〇匹に卵を食べさせ、ミルクを与える。一メートルを超える巨体に育て上げるのは、それだけで大変なことだが、それを一〇匹も同時に！　本当に大きなコストをかけて、ホホジロザメの母親は胎仔を大きくするのである。

## もし羊水が栄養スープだったら……

さらに、イタチザメの研究で、佐藤さんはこれまでにない栄養供給の方法を発見してしまった。すでに説明した中にはなかった新しいタイプだ。イタチザメというと、人間に攻撃をしてくる可能性がある「御三家」のなかのひとつとして、ニュースに出てくる回数は多いのに、これまで繁殖の仕方がまったく分かっていなかったのだという。

「すごくメジャーなサメなんですけど、胎内で子どもがどうやって大きくなっているのかわからなかったんです。メジロザメ類なので、近縁の種は、みんな胎盤を持っているんですね。でも、イタチザメだけが持ってなくて、いったいどうやっているのか、と。もちろん、卵黄依存なのかもしれないとは考えますが、卵黄がそれほど大きくないし、生まれてくる子は八〇センチから九〇センチぐらいになっていて、そのための栄養がどこから来ているのかずっと謎だったんです」

沖縄ではイタチザメは比較的よく捕獲される。それで、妊娠しているものを解剖して、子

イタチザメは子どもにスープを与えていることが佐藤さんたちの研究によって今年明らかになった。イタチザメの子宮の中の様子を示す、これも貴重な1枚。写真提供：沖縄美ら島財団

宮の液体を集めたりして、一〇年以上かけて研究した。その結果、ミルクでも、卵でもなく、「スープ型」の栄養供給ではないか、ということになった。

「子宮の中に雑多な有機物がゴチャゴチャ入ったスープが満たされているんです。特定の物質がひとつドンと分泌されているわけではなくて分析しづらかったのですが、その液体の有機物量を見ると、「薄いスープ」くらいだったというふうに言っています」

薄いスープとは、例えばコンソメスープくらいだろうか、などと想像したが、写真を見せてもらったら、それよりももうちょっと濃いかもしれない。たしかにミルクよりは栄養的に劣っても、充分に意味のある栄養供給たりえるだろう。

いやあ、それにしても、「繁殖様式のデパート」からは、まだまだ色々出てきそうだし、本当に生命の神秘を感じてならない。

では、なぜ、そこまでサメの繁殖は多様化したのだろうか。

「なぜでしょうね（笑）。まあ、サメは歴史が非常に古いので、そういう意味では長い時間かけて多様性を形成することができたこと。それと、サメって、世界の海洋のほぼすべて、極域から赤道域まで、浅海から深海までカバーしてるんですね。多分、そういうものに適応する過程で、外洋で生まれるものであれば、卵で産むと大変なことになるので、恐らく胎生というものが発達して、なおかつ、そういうところではある程度大型な子どもを産まないと、すぐに捕食されてしまうから大きな子を産もうと。そういう中で、保育のシステムの戦略が、それぞれ系統的に独立しつつも、発達していったんだと思います」

やはり生命の神秘、進化の神秘である。そんな常套句《じょうとうく》こそ、まさに、ふさわしくかんじる。

## サメ博士が生まれるまで

沖縄美ら島財団総合研究センター動物研究室の佐藤圭一室長は、飼育しているサメと野生のサメ、あるいは、生きているサメと標本になったサメ、様々なものを見ることができる格好の位置で、サメの繁殖生理学の最先端の知見を積み重ねている。この世界では第一人者と目されるサメ博士だ。

幼少から魚、特にサメが好きだったのかと思いきや（そういう子は、たしかにいる）、実は海のない栃木県の出身だという。

「小さい頃、海に行くといったら、もう本当に一大イベントでした。その中で漠然と海へのあこがれがありまして、船に乗って世界中を調査するとか、スケールの大きな学問に興味を持っていました。それで、大学に行って専門を選ぶ時、海のフィールド調査ができる研究室を選んだんです。特に深海に興味があったので、誰も研究したことがない深海ザメをやってみないかと言われて取り組んだのが、ヘラザメという種類です。実は、サメの中で一番種類が多いグループなんですがあまり知られていなくて。ただ、深海に行くとたくさんいる。それも、世界中にいます。学生時代から、世界中の博物館を訪ねて標本を観察するというのを繰り返して、もちろん、トロール船とかに乗って海のフィールドワークにも行きました」

佐藤さんを深海ザメ研究にいざなったのは、仲谷一宏・北海道大学教授（当時）で、数々のサメ関連本の著者として知られる元祖サメ博士である。佐藤さんは、仲谷教授の元、夢の一つだった海のフィールドワークを果たし、また、博物館をめぐりつつ、形態学や解剖学にもとづいて、分類や系統を考える方法を学んだ。

ヘラザメを持つ佐藤さん。2009年撮影。写真提供：佐藤圭一

どちらかというと博物館で標本を見る方向に振れつつあった佐藤さんの研究がいっきに生きたサメへと展開したのは、沖縄美ら海水族館の「開館」がきっかけだ。

わざわざカギカッコ付きで「開館」というのは、ゼロから作ったというわけではなく、前身があるからだ。一九七五年に開催された沖縄国際海洋博覧会の施設を使った「国営沖縄記念公園水族館」である。その施設の老朽化から、新水族館が構想されて、二一世紀になって名前も新たにスタートしたのが沖縄美ら海水族館だ。旧水族館時代から飼育繁殖にかかわる研究に定評があり、新体制ではさらに研究を分厚くする方向に舵《かじ》を切った。

「当時の館長の内田詮三さんが、深海の大きな展示をつくりたいから、来てもいいよって言ってくださったんです。ですから、自分の研究も、深海の生物を飼育下で観察できるようにするという目標に、ちょっと変わって、さらに水族館全般を見わたして、サメ類を網羅するような仕事をするようにもなってきました」

水族館で研究、というのを意外に思う人もいるかもしれない。

もちろん、水族館は「レクリエーション」の場として作られているけれど、同時に研究の場であり、自然保護への貢献の場でもあるのが、現代的な水族館（や動物園）のミッションだ。日本では、研究のウェイトはあまり重くなくて、常勤の研究者がいる園館は少ない。沖縄美ら海水族館と、沖縄美ら島財団総合研究センターは、水族館をベースにした研究者が何人も（博士号を持った研究職が一〇名！　そのうちサメの研究に関わっている人が五名！）もいる、

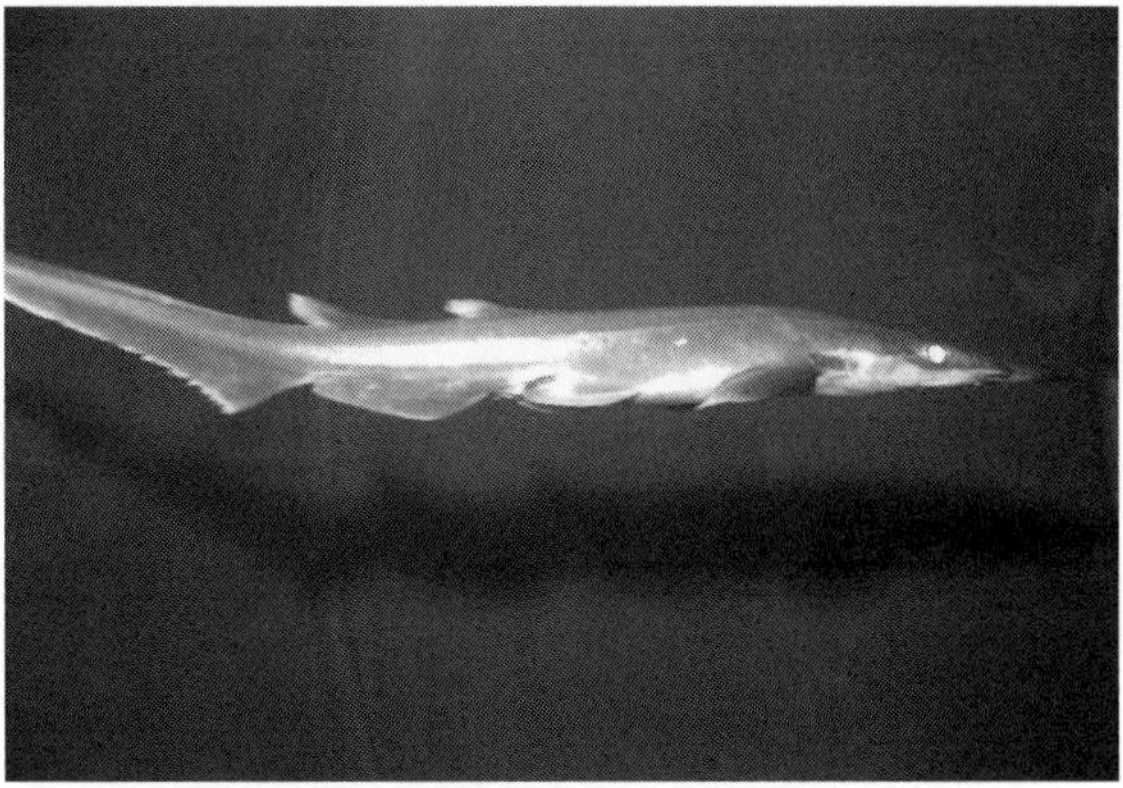

ヤリヘラザメが加圧水槽で遊泳する様子。写真提供：沖縄美ら島財団

非常に珍しいところだ。サメの繁殖生理学の分野では、世界の先端領域を切り拓いている。

佐藤さんは、形態学・解剖学の世界から、生きているサメや水族の世界に飛び込んできたけれど、話をうかがいつつ、子どもの頃に海にかかわる「スケールの大きな」研究をしたいと思ったという挿話を思い出すことしきりだった。こと、サメに関する限り、普通に研究する時に、相手にするのは死んだ標本だけだからだ。博物館はもちろん、漁船に同乗してフィールドワークをするにしても、結局は死んだものを手にして研究室に持ち帰ることになる。「生きたまま」の研究は、とてもむずかしい。だから、サメの生活史ひとつをとっても、とっかかりを得るためには、飼育して繁殖させるところから始まる。佐藤さんは、沖縄で水族館と海、二つのフィールドを股にかけることで、世界中のサメ研究者の中でも、とびきりスケールの大きな「足場」を手に入れることができたわけだ。

## 飼育下の研究から野生へ

佐藤さんの専門である繁殖生理学的な研究は飼育下繁殖の成功に直結しているし、飼育下繁殖が成功すると歯車がまわるように研究のサイクルがまわる。最近、水族館や動物園では、動物を野生から連れてくるより、できるだけ飼育下で繁殖したものを見せようとする動きが強まっている。特に大型の生き物はそうだ。サメやエイの繁殖の成功は、その動きにも合致する。

もっとも、ここを強調すると「水族館を維持するための科学」のようにも思える。では、そこからさらに先のビジョンはあるのだろうか。水族館や動物園が自然保護に貢献すべきだという考えがあるけれど、その点はどうか。

「例えば繁殖の周期とか、産仔数だとか、繁殖にかけるコストっていうのは、直接資源量推定にかかわってくるんですね。ですから、例えばジンベエザメのように、恐らく成熟に至るまで二五年から三〇年かかる種で、一回にどのくらい生まれて、周期がどのくらいで、どのくらいのコストをかけているっていうことがわかれば、一匹のサメがどのくらいの繁殖能力を有するかとかも分かってきます。今、サメの資源量ってまったくといっていいほど分かっていないんですけど、繁殖学的な情報っていうのは、野生のサメをどう護っていくか考えるためにも必要なものです」

今、サメは、実際に捕獲されている漁業の対象でもあって、あるいはジンベエザメの場合、観光の対象になっている場所もあり、そんな中、「どれだけいて、今後どうなりそうか」ということを理解するためには、やはり繁殖生態の解明は必要な情報だということだ。

「あとは、人間の生活にとって、何か影響がありうるとすると、今後、例えばサメの子宮の中の構造とか物質がどんどん明らかになってくれば、医療などに応用できるものが見つかる可能性もありますね」

今、深海ザメが乱獲されている理由の一つに、化粧品や健康食品に使われるスクワレンという物質がサメの肝油から抽出できることがあると、前に説明してもらった。サメという神秘の軟骨魚類から何か「役に立つ」ものが見つかるというのは、結構、リアリティがある話だと思う。

しかし、それはそれとして、やっぱり、佐藤さんはサイエンティストである。「役に立つから」という理由で研究をする、というのとは少し違う。

「我々は、こんなメリットがあるというのを、日ごろから意識してるわけではないんです。やはり水族館を持つ組織として、せっかく飼育している動物がいるわけですから、そこから得られる情報は可能な限り研究してオープンにして、生物体の理解に貢献するというのが、基本的なスタンスです。短期的な成果が求められがちな大学の研究室などと比べて、研究期間にとらわれず、あまり他の研究者がやらないような研究をやるのが、使命かなというふうには考えてるんですけどね」

さらにその上で、やはり、野生での研究にも足を踏み出すのが、佐藤さんの研究チーム（美ら島財団と美ら海水族館）の凄みでもある。佐藤さんの話を聞いた後、二〇一七年には、南米ガラパゴス諸島北部の海で野生のジンベエザメからの血液採集を世界ではじめて成功させたという報に接し、ぼくはとても興奮した。さらに、翌二〇一八年には、採血だけではなく、同じ海域で野生のジンベエザメの卵巣の超音波撮影に世界で初めて成功したというのだから、飼育下での技術を野生のフィールドで十全に活用しているといえる。こんなふうに飼育下と野生での研究とを両輪にできれば、サメのことをもっと理解でき、サメと共存できる未来を手繰《たぐ》り寄せることができるかもしれない。そうなれば、と願う。

## 研究を志す若い人へ

佐藤圭一

大学で研究室に籠り、一心不乱に研究する学生諸君も多いだろう。研究室での仕事も大切であるが、研究者を志すならば若いうちに異なる世界に触れる経験をすると良いと思う。私自身、若い頃に出会った海外の研究者とのつながりや、船の上での経験が人生の大切な財産だ。その後（偶然だが）職に就いた水族館で、生きた動物に触れる機会を得たことも幸運だった。どんなに先端技術が進化しても、生物の体や行動を直に観察することは、生物学の基本だ。近年は、様々な理由でサメを詳細に観察する研究者が少ない。その意味で水族館における生物飼育はとても貴重な〝穴場〟だ。

研究を志す皆さんには、ただ知識を得るのではなく、多様な人々や考え方に接し、大いに議論してほしい。夢のある生物研究は、決して研究者一人では成し得ない。生物を多面的に理解するためには、様々な分野の研究者との協力も必要だ。コミュニケーションも研究者に必要な能力の一つだと思う。研究することは、未来を生きる人々へ知の贈り物を残すことであり、本当に素晴らしい夢のある仕事だ。水族館が研究者にとっての発見の場、また未来の研究者をはぐくむ場となれば嬉《うれ》しいと、私は思っている。

# 錯視から入る不思議な知覚の世界

四本裕子

## よつもと・ゆうこ

1976年、宮崎県生まれ。東京大学大学院総合文化研究科准教授。Ph.D.（Psychology）。1998年、東京大学卒業。2001年から米国マサチューセッツ州ブランダイス大学大学院に留学し、2005年、Ph.D.を取得。ボストン大学およびハーバード大学医学部付属マサチューセッツ総合病院リサーチフェロー、慶應義塾大学特任准教授を経て2012年より現職。専門は認知神経科学、知覚心理学。

脳科学はとても人気がある領域で、その分、多くの俗説が充分な検証もないまま、世に流布《るふ》している。例えば、「男性の脳と女性の脳はこんなに違う」という趣旨で書かれたベストセラーはこれまでに何冊もあるけれど、実際のところ脳科学の研究では、脳の性差はほとんどないそうだ。科学的であろうとすると、導き出せる結論も地味なことになりがちで、声も通りにくい。東京大学大学院総合文化研究科の四本裕子さんはそんなジレンマの中、あくまで科学の側に立つ。小さなステップを踏みながら、我々が脳内でどんなふうに情報を処理し、統合していくのか、それらがどうやって知覚となり、意識となっていくのか、慎重かつ綿密に追い求めていく。実を言うと、四本さんの研究の「入口」は、日常生活の中にヒントがある場合が多く、たとえば「錯視」は格好の入門編だ。そして、研究の成果としても、将来、世界中の人たちに感謝される一大発明につながる（かもしれない）ものもある。決して、本人が言うような「地味」な話ばかりではないし、なによりも、日常への眼差しが科学の入口になるという部分には、興奮させられる。

錯視コンテストは楽しい！

錯視という現象がある。
目で見ているものが、「実際」とは違って見えてしまうことを指す。
言葉自体、少し硬く、とっつきにくいかんじがするが、英語で言えば「イリュージョン」（あるいはビジュアル・イリュージョン）で、ちょっと楽しげに聞こえてくる。「視覚の魔術師」として有名なエッシャーの様々な「だまし絵」も、錯視を利用したものが多いことを想起すれば、ますます楽しげだ。

というわけで、錯視は楽しい。なにしろ「イリュージョン」であって、「ええっ？」という驚きに満ちている。二〇〇九年から日本錯視コンテストなるものが毎年開催されており（二〇一六年からは、錯視・錯聴コンテスト）、その受賞作はウェブサイトで公開されている。ここは、「楽しい錯視」の宝庫だ。おまけに新作だ。

最近、コンピュータやスマホを使って気軽に動画を扱えるようになってきたせいか、動きものの錯視が多いのが特徴的だろうか。静止画での幾何学的錯視、たとえば、有名な「矢羽の錯視」などは、今は古典的錯視になっているようだ。

では、どんな人が応募しているかというと、なんらかの理由で錯視に興味を持っている人たちであるのは間違いない。錯視愛好家というのも確実にいるのだろう。実際、これまでに開催された八回分をざっと見ると、受賞者は中学生から大学教授まで幅広い。ただ、見た目のおもしろさだけでなく、学術的な意味合い、つまり、錯視や知覚について、新たな知見を付け加える部分も同時に評価の対象となり、「楽しみつつ学ぶ（研究する）」場であることも強調されている。

研究的な側面について、入賞者の中に一大勢力があることに気づいた。

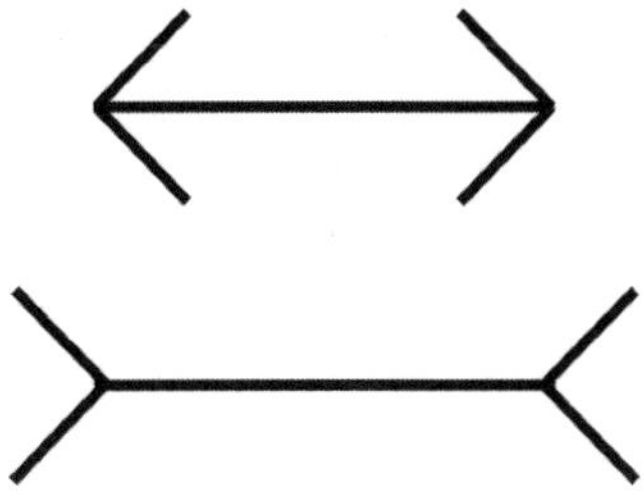

横棒の長さは同じなのに、矢羽の向きによって長さが異なって見えるという「矢羽の錯視」。
画像提供：四本裕子

毎年、東京大学からの応募があり、そこから複数作品が入賞しているのである。

二〇一六年で言えば、東京大学大学院総合文化研究科の島周平氏による「歯車錯視」。「並進運動をする歯車が、実際は回転していないのに回転しているように見える」というもの。

同じく、東京大学大学院総合文化研究科の田中涼介氏による「たまゆら錯視」は、「放射状の縞《しま》模様の下を、黄色と紺のドットが回転している」状態で、「しばらく注視点を見ていると、黄色のドットの回転だけが停止して見える」など、いくつかのパターンで実際の動きとは違う見え方をするのを示している。

ちなみに、ぼくのお気に入りは、二〇一五年、やはり田中涼介氏が発表した「スイングバイ錯視」だ。ある円の接線上を直線的に運動するドット群があって（「作品」ではその円を地球に、ドット群を人工衛星になぞらえている）、ドットは、本来、直線運動をしているだけなのに、同時に三つ以上、同期させて動かすと、まるで人工衛星がスイングバイ（大きな天体の近くを、軌道を変えながら通り過ぎること）しているかのように見える。

三例を挙げたけれど、すべて「錯視・錯聴コンテスト」のウェブサイトから見ることができるので、興味のある人はぜひ動画を見てほしい。

・「たまゆら錯視」「歯車錯視」（第八回錯視・錯聴コンテスト）
http://www.psy.ritsumei.ac.jp/~akitaoka/sakkon/sakkon2016.html

・「スイングバイ錯視」（第七回錯視・錯聴コンテスト）
http://www.psy.ritsumei.ac.jp/~akitaoka/sakkon/sakkon2015.html

いずれもミステリアスで、自分の目を疑うことになるだろう。しかし、どれだけ疑っても、我々の視覚は、ありもしない歯車の回転を見出し、逆に回転しているはずの黄色いドットを止まっているように感じ、直線運動をグニャッと曲がった運動として認識する。くらくらする。

そして、それらの錯視を見出したのは、東京大学大学院総合文化研究科というところらしい。

調べてみたところ、「元締め」が特定できた。件の研究科の中でも認知神経科学・実験心理学を主な領域とする、四本研究室だ。研究室の主、四本裕子准教授のもと、「時間知覚」「多感覚統合」「脳の性差」などをテーマにして研究を進めているという。

あれ、錯視は？　と思いつつも、ほかのテーマにも非常に興味惹《ひ》かれるものがある。イリュージョンとして、高いエンタテインメント性を持つ「錯視」から、アカデミックな薫りがする「時間知覚」「多感覚統合」「脳の性差」というのはどういう道筋でつながっているのだろう。研究室にお邪魔して、お話を伺ってきた。

## 錯視探しは研究者入門編だった

目黒区にある東大駒場キャンパスの執務室で、四本さんは、案の定、まず釘《くぎ》を刺した。

「実は、私の専門は、錯視というわけではないんです。視覚の研究者としてスタートしていますけれど、今は、視覚だけじゃなくて、見たり、聞いたり、考えたりしているときの脳の活動を測定して、人間の内的な活動のメカニズムを探るというのがテーマです。錯視はあくまで入口みたいなものですね」

なるほど、「錯視は入口」なのである。

しかし、それにしても、日本錯視・錯聴コンテストで、ほぼ毎年、複数の入賞作品がこの研究室から出ているのはなぜなのか。

「実は、うちの学生には、錯視コンテストに作品を出すのを義務付けているんです。九月が締め切りなので、夏休みの間に必ず一人最低一個は新しい錯視を見つけてきなさいって。すると学生たちは、寝てもさめてもじゃないですけど、世の中の視覚情報に思いをはせることになります。なにか見つけるまで、駅の壁でも廊下の天井でも見ながら、不思議なものがないか探し続けて。ヒントが見つかったら、自分でちょっとプログラミングしてみて、コンピュータの画面の上で動かしてみたり……」

つまり、四本研究室の学生さんたちは、一年のうちの何カ月かは熱心に新しい錯視を探すことになる。では、そうまでして、錯視探しを「入口」として位置づけるのはなぜなのか。

「一つの理由は、この分野で視覚の研究をするのであれば、実験で被験者に見せたいものを、コンピュータの画面の上で動かしたりして提示しなければならないからです。被験者に見てもらって、その時の脳の働きを様々な測定装置で調べていくことになるので、錯視コンテストの作品みたいにプログラミングして作り込めないと、研究者としてのスタートラインに並べないんですね」

錯視コンテストの入賞作品は、パワーポイントで作られた簡単なアニメーションから、様々な形式の動画ファイルまで、形式もクオリティも千差万別だ。しかし、少なくとも、錯視を表現するために、動きだとか、角度だとか、見せ方のタイミングなど、さまざまな調整をしなければならず、視覚の実験を準備するのによい練習になるという。

「そして、もっと大きな理由は、今まで知られていなかった視覚のメカニズムの発見ですね。錯視って、見ているものの物理的な性質と、視覚がずれている、という現象なわけです。「すごいでしょう、おもしろいでしょう」で終わってしまうことも多いんですけど、じゃあ、なぜそうなるのかを考えていると、新しい研究の入口が開けるんじゃないかと常に思っています」

二重の意味で、錯視探しは「入口」だった。

では、その「入口」を通って、四本さんの研究世界に入門してみよう！

## その時、脳はどう動いているのか？

東京大学大学院総合文化研究科は、京王井の頭線駒場東大前駅の駒場キャンパス内にある。四本裕子准教授が主宰するのは、認知神経科学・実験心理学を研究領域とするラボだ。

錯視コンテストへの応募を学生に義務付けている理由の一つは、研究者として必要なスキル（被験者に見せたいものを自在にコンピュータで描き、提示する技術）を身につけることだが、実は、新しい錯視を知ることで、新たな視覚のメカニズムを知ることにもつながるかもしれないという大いなる目論見があると聞いた。

新しい錯視の発見をめぐるあれこれを、在室中だった大学院生たちも交えて、議論した。「三歩進んで二歩さがる錯視」だとか、「光学迷彩イカ錯視」だとか、比較的最近の自信作を見せてもらい、大いに盛り上がった。

話題の中で、特に強く印象に残っているのは、最近、錯視を見つけるにあたって、コンピュータが大活躍する理由についての考察だ。視覚は、もともと自然界で生活するために進化の中で調整されてきたはずだが、コンピュータの画面では自然界にはあり得ないような色の組み合わせとか、コントラストとか、変化スピードとかがあって、しばしば視覚のほころびが顔を出す。

錯視というのは、その時だけ、何か特別なメカニズムが働いているというよりも、我々が世界を見る時の処理の仕方がたまたまほころんで、「こう見えるはずが、そう見えない」場合なので、ある意味、我々に見えているものは、全部、錯視なのかもしれない……等々。あくまで雑談である。しかし、刺激的だ。錯視が、その時だけに発動する特別なメカニズムで起きるのではなく、我々がふだん使っている処理の仕方のほころびが、たまたま意識できたものなのだとしたら、錯視を見つけることは、我々の視覚の特徴の本質に通じる何かを知ることにもつながる。

では、四本さんの研究室で、新しい錯視の発見をきっかけに、新たな視覚のメカニズムが分かったケースはあるのだろうか。

「ありますよ」と四本さんは即答した。

「二〇一五年に入賞した「スイングバイ錯視」っていうのがありましたよね。前段階のものを、二〇一二年にわたし自身が見つけていて、これ不思議だよねって論文を書いたんですけど、さらに実験をやって二〇一六年になって出た論文が、まさにそれですね」

「スイングバイ錯視」は、直線運動をしているものが、くねっと曲がった軌道を描くようにみえる錯視だった。一方、二〇一二年に四本さんが見つけた「前段階」の錯視は、「グニャグニャ運動錯視」(Wriggle Motion Illusion)とでも言おうか。

「たくさんのドットが直線運動をしているだけなのに、グニャグニャ動いているように見えるんです。ひとつのドットに色をつけて追いかけてみればちゃんと直線運動をしているのがわかりますよね。これは不思議な現象だなと、錯視が起こっている時の脳を調べてみました」

脳の模式図をディスプレイに表示して、四本さんは概略を説明してくれた。

「人間の脳には、頭の後ろ側に視覚皮質という部分があって、見たものに反応しています。その視覚皮質にも、すごく大きくいいますと、背中の側の経路、背側経路と、腹側の経路、腹側経路といわれるところがあって、これまで、運動しているものを見た時の知覚は背側経路が担うとされてきたんです。でも、この錯視の実験をすると、グニャッと曲がって見える軌道を伴う時には、腹側経路も同時に働いているんですよね。あのグニャグニャ感は、これまで言われていたよりも、もっと脳全体としてのネットワークの働きの結果だろうと、示唆されたということです」

いわゆる、脳機能研究だ。

四本さんの場合、主にｆＭＲＩ（functional Magnetic Resonance Imaging の略で、日本語では、「機能的磁気共鳴画像法」などとも呼ばれる）という装置を使って、脳の働きを見る研究手法を取る場合が多い。

駒場キャンパスには、研究専用のｆＭＲＩ装置があり、比較的自由に使うことができる。医療用で普及しているものよりも高磁場で、ノイズの少ないクリアな画像を短い時間で得られるそうだ。脳の形状を一ミリ×一ミリ×一ミリの分解能でスキャンするだけなら五分で済むというので、ぼく自身もその場で「被験者」になってみたのだが、本当に短時間だから、スキャン中の「狭い空間で工事現場のようにうるさい」状況もそれほど負担感はなかった。

立体画像もほとんど瞬時にできあがり、自分自身の脳の形状や、神経細胞の層（灰色の部分）、連絡線維（いわゆる軸索。白い部分）の様子をあらゆる角度でスライスして見られるのは、変な気分であると同時に感動的だった。

なお、実際に、ｆＭＲＩの〝ｆ〟の部分である脳の「機能」を見るのは、その次の段階で、

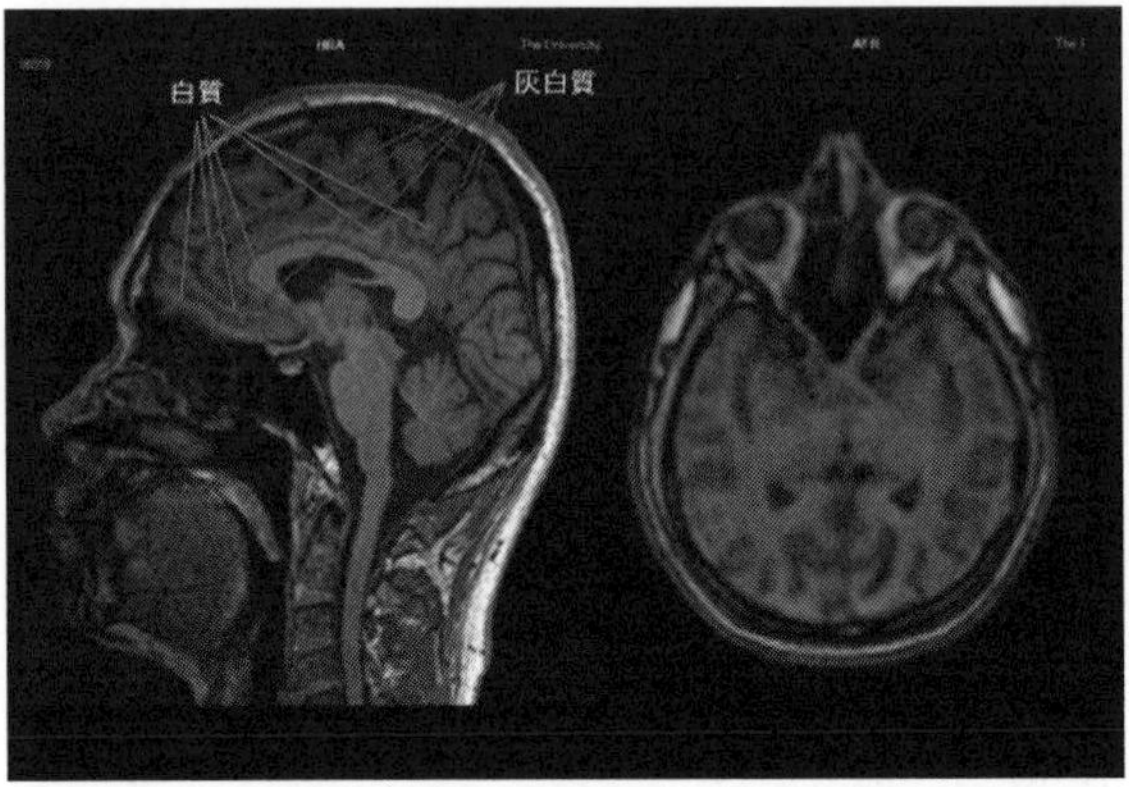


筆者の脳のMRI画像。神経細胞層の灰色の部分が「灰白質」で、連絡線維の白い部分が「白質」。連絡線維が神経細胞に包まれているような構造になっている。連続的に複数撮影された写真は、PC上でパラパラ漫画のように見ることもできる。画像提供：四本裕子

被験者にモニターで画像を提示したり、ヘッドフォンで音を聞いてもらったりして、その時の脳の活動（血流）を、もっと素早く（通常二秒間隔で）追っていく。速さの代償に空間解像度は落とすことになるので、最初に撮った精密な立体画像を重ね合わせて参照することになる。

四本さんが発見した「グニャグニャ錯視」について、その時、脳はどのように働いているのか。まさにこの方法で確かめられた。

その結果が、「グニャッと曲がって見える軌道を伴う時には、「腹側経路」も同時に働いていた」、「あのグニャグニャ感は、これまで言われていたよりも、もっと脳全体としてのネットワークの働きの結果だろうと、示唆

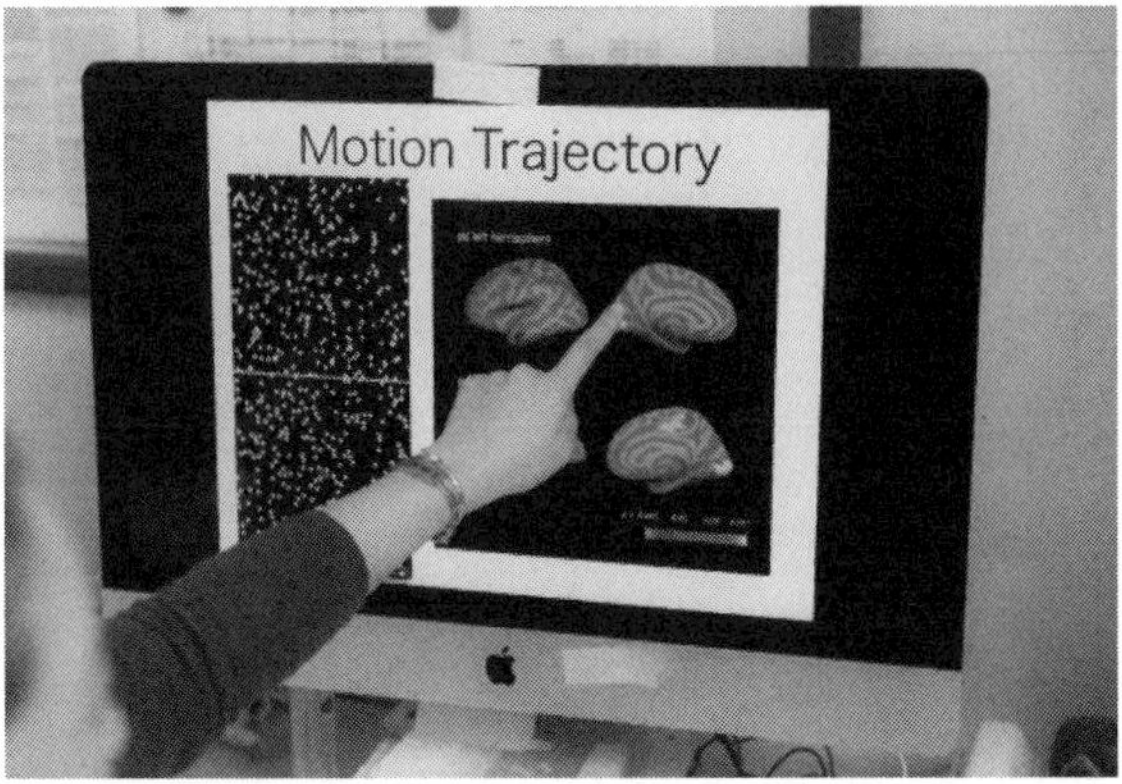


fMRIを使った「グニャグニャ錯視」の研究により、脳の新たな働きが解き明かされたわけだ。

された」ということなのである。

実際の対話の中では、視覚皮質の中にあるV1、V2、V3とか、MT野とかMST野など細かな部位を特定しての話だったのだが、ここでは深入りしない（興味ある方はぜひご自分で探究を！）。

とにかく、この錯視で、本来はあるはずもない「グニャグニャ」の軌道を感じた時には、これまで運動するものを見た時に働くとされていたのと別の部位も、同時に働いていると分かったのが新しい知見だ。そこから、実際に、人が、錯視でなく、曲がった「軌道」を知覚する時にも、脳はこのような働き方をしているのではないかとも示唆される。つまり、錯視を通じて、視覚についての脳の新たな働きが分かってきたことになる。

「すみません、ちょっと地味なんですけど」と四本さんは笑う。

「研究について忠実に話そうと思うと、どんどん細かく地味になっていって、インパクトがなくなってしまうんです。でも、わたしはそこにプライドを持っているというか、できるだけ大風呂敷は広げないようにしなきゃねと学生とも話すんです。だから、なかなか難しい話になってしまうんです。すみません」

たしかに、地味かもしれないのだが、エンタテインメント性の高い錯視をきっかけにして、一歩、足を踏み出すと、背景にある普遍的な脳機能があぶり出されるというのは、驚嘆に値する。そして、そのこと自体、「楽しい錯視」と同じくらい楽しいことではないだろうか。

さて、「錯視は入口」というのがよく分かった。

では、その入口からさらに先へと進もう。四本さんが大きなテーマとして見つめている「時間の知覚」「多感覚統合」「脳の性差」といったテーマのうち、まずは「時間の知覚」から。

## 点滅すると時間がゆがむ?

コンピュータのディスプレイには、単純な丸い図形が浮かんでいる。

その「丸」が画面に出ている時間がどれくらいかというのが、あらかじめ与えられている問いだ。

最初に提示される画面では、図形が何秒か継続的に提示されたあとで消える。

次に、同じ図形が点滅してから消えるのを見る。

さて、どちらの時間が長かったか。

後者の点滅する図形の方が、明らかに長く提示されていた。

しかし、実際には、提示された時間は同じだと知らされる。

結構、衝撃的だ。

錯視に似ているが、単純に錯「視」というわけでもなかろう。むしろ、時間知覚における錯覚、というのがしっくりする。

なぜ、チカチカ点滅するだけで、時間が長く感じるのか。謎だ。こんな単純なことで、ぼくたちが感じる「時間」が変わってしまうなんて！

「だいたい、一・二から一・三倍くらい長くなったと感じるみたいです」と四本さん。

点滅だけで時間知覚が二割、三割長くなる。

「これ自体はよく知られた現象で、いろんな人が報告しているんですが、じゃあ、なぜチカチカすると長く見えるのっていう説明には、いろんな説があるんですね。一つは、チカチカすると、そこに注意が向いて、自分の心的資源がより多く費やされるので、長く見えるんだとか。でも、わたしは、それじゃつまんないなと思って。なぜ時間が歪《ゆが》むのか、神経活動レベルで説明したいと思ったわけです」

前提として、時間知覚についての特殊事情がある。我々が、脳のどこで時間を知覚しているのか、ということだ。

「視覚には視覚皮質が後頭部にあると分かっていますし、聴覚にも聴覚皮質があります。運動は運動皮質があって、皮膚感覚みたいなものに対しては、体性感覚皮質がある。ｆＭＲＩが出てきて二〇年くらいたって、脳の局所の活動って、もう大体わかってきているんです。でも、時間知覚に特化している時間皮質というのは、見つかっていないんです。ということは、脳のいろんなところを全部使っているんですね。脳のグローバルなネットワークとしての活動の結果、時間の知覚というのが生まれるんだと」

脳に時間皮質があるかもしれないと探した研究者は、これまでにもたくさんいたそうだ。しかし、結局、見つからなかった。どうやら、脳全体のネットワークの中で、時間は知覚されるらしい。だから、この現象を神経レベルで解明するためには、脳の局所ではなく、全体を見る必要が出てくる。

「まず、時間知覚について、代表的なモデルとして、ペースメーカーモデルというのがあります。脳のどこかにチクタク、リズムを刻んでいるところがあって、そのリズムを数え上げて、加算していく場所もある、と。そして、加算のスイッチをオンにしてからオフにするまで、いくつのパルスが入っていたか読み出すようなメカニズムがあれば、時間が知覚できるというような考え方です」

四本さんがぼくに見せてくれた画面の図形を思い出しながら考えてみよう。まず画面に図形が現れたら加算のスイッチをオンにして、その「チクタク」の回数を足し始める。そして、図形が消えてしまったらスイッチをオフにして、オンオフの間に、どれだけの「チクタク」が刻まれたかを見ることで時間を知る。ある意味すごく単純なモデルだ。

では、このモデルを受け入れるとして、どのような神経活動が時間を「歪ませる」きっかけになっているのだろう。

「チカチカ点滅する光を見ていると、ペースメーカーが影響されて速く動くことになるんじゃないかと考えたわけです。ペースメーカーの周波数を、点滅する光の周波数に引き込んでいくことができるんじゃないか、と」

引き込み現象（エントレインメント）というのは、要は、「つられてしまうこと」「同期してしまうこと」だ。それにわざわざ名前がついているのは、二〇世紀後半からの研究で、これまでばらばらに知られていた現象が、数理的には同じ枠組みで議論できるとわかったからだ。

例えば、机の上にある二つのメトロノームや、壁にかかった二つの振り子の周期が次第に同期していくような現象が古くから知られているけれど、そういった物理学的な対象のみならず、心臓の律動や歩行のリズム、ホルモンの概日変化など生物学・医学にかかわる対象も「引き込み現象」が関係していると捉えられている。

四本さんの見立ては、チカチカ点滅する光を提示されると、脳内で時間をカウントするペースメーカーが、光の点滅に引き込まれるのかもしれない、ということだ。そして、そうやって、ペースメーカーの周期が変われば、例えば、実際に三秒たつ前に「三秒たった！」とシグナルが出て、被験者は点滅の時間を三秒よりも長く感じることになる。

「これ二〇一六年に発表した行動実験の結果と、さらに昨日ちょうど書き上げたばかりの論文なんですけど――」

そう言いながら、その時点では発表ほやほやだった論文と発表前だった論文と図表を並べて見せてくれた。

「まず脳波で実験をやっているんです。光がチカチカする刺激とチカチカしない刺激のどっちが長く感じたか、といったことをいろいろやって、チカチカさせる刺激の周波数を、例えば一一ヘルツ（一秒間に一一回）だったり、一五ヘルツだったり、三〇ヘルツだったり、いろいろ変えていくと、時間を長く感じたり、あんまり長く感じないものが出てきたりします。一一ヘルツでは長く感じるんですが、その時に、実際に一一ヘルツあたりにやっぱり脳波のピークがくるので、ちゃんと引き込みが起きてますよといったことを検証しています」

ここで、はたと気づくのは、ここまでペースメーカーと呼んできたものは一体何なのか、ということ。

それは、つまり脳波、なのか。

脳波というのは、脳の活動によって生じる微小な電位変化を捉えたものだから、そのペースメーカーなるものが刻むリズムが脳波として観察されても不思議ではない。あるいは、とりたててペースメーカーのために発しているわけではない脳波の周期を、時間のカウントに使っているということもありそうだ。

ここで、注目すべきなのは、一一ヘルツという周波数である。

「これは、いわゆるアルファ波の周波数です。八ヘルツから一二ヘルツくらい。視覚皮質がある脳の後ろの部分って、他の脳科学の知見でもアルファ波が一番出やすい部分です。それが、ペースメーカーになっている可能性があるんですね。あくまで数理モデルなんですが、三秒を検出するニューロンがあると仮定して、例えば八ヘルツから一二ヘルツぐらいの間でリズムを刻んでいたものが、たとえば一一ヘルツにぎゅっと引き込まれたときに、このニューロンは、三秒よりもちょっと前に三秒たったよっていう信号を出してしまう。なので、実際の三秒がやや長く知覚されるみたいなことが起きるんです」

## 退屈な会議が早く終る?

そこでふと思う。

今まで、時間を長く感じる方のことを話題にしてきたけれど、逆に短く感じることってないのだろうか。たとえば、想定上の「三秒ニューロン」が、実際の時間よりも長いことかかってやっと「三秒経過!」と信号を出すとか。

「よい質問です。我々の研究では、視覚刺激では短くはならないです。実験的にも、シミュレーションとしても」

子どものときから知覚に興味があったという四本裕子さん。

でも、ここで、四本さんがにっこり、謎の微笑みを浮かべた。良い質問というのには、なにか別の要素があるようだ。

「視覚では、いわゆるアルファ波が、引き込みに一番重要な帯域だろうっていうのがわかったわけです。じゃあ、同じ周波数を使って聴覚でやってみようと。今度は一一ヘルツのチカチカではなく、一一ヘルツのトゥトゥトゥトゥっていう音を出したらどうなるかと。で、それをやってみると、今度は時間が短く感じられる。同じ周波数を使って、視覚刺激だったら長く見えて、でも聴覚刺激だったら短く聞こえるっていう、逆転するところを見つけ出したんですね。もう本当に私、この研究大好きで、すっごくおもしろいと思うんですけど（笑）」

実に興味深い！　四本さんの見立てでは、視覚皮質と聴覚皮質では、時計の役割をするペースメーカーの周波数帯が違うのではないか、ということだ。

思い出そう。脳には時間皮質という特定の部位があるわけではなく、様々な部分がかかわって時間を知覚していると想定されていた。だから、視覚と聴覚では、別のやり方で時間を知覚した上で調整していてもまったく不思議ではない。

なお、聴覚と視覚に同時に刺激が与えられて、それぞれの効果がバッティングした場合はどうなるか。四本さんの研究では、聴覚の方が勝つことが多いそうだ。一般的には、空間的な情報は視覚に重みづけがあり、時間的な情報は聴覚のほうを信じる傾向があるそうで、それと整合的な結論だ。

また、ぼくたちの感覚とも整合するかもしれない。日常生活で、空間的な情報に対する判断は視覚に依存することが多い。また、時間的な情報に対する判断を、聴覚に依存することが多いような気がする。後者はあくまで「気がする」レベルだが、例えば、目を閉じて周囲の音に聞き入ったり、あるいは音楽を聞く時にも、なにか時間の感覚が鋭くなるような実感がある。

四本さんの研究はあくまで基礎研究なのだけれど、ぼくはつい聞いてみた。これ、なにかの実用にならないんですか、と。

　四本さんは、またもにっこり笑った。

「すっごく楽しいときは時間があっという間に過ぎるとか、つまんない会議は、延々と終わらないみたいに感じるじゃないですか。それを変えられないかなと思って」

　いきなりこれは、ものすごい実用だ！　それも非常に夢がある！（と思う）。

　もうこの瞬間、四本さんの楽しそうな顔といったら！

「あくまで野望なんですけど、今それに関係する実験を、ちょっとだけやっていて、半ば失敗に終わりつつあるところです。例えば、さっきの聴覚で一一ヘルツのトーンを聞くと、時間を短く感じましたよね。なので、学生に一〇分間ぐらいのつまらないタスクをやらせて、背景音で一一ヘルツをずっと聞かせて。他にも音がない条件とかいろいろやって、今何分ぐらい、あなたはこのタスクをやっていたと思いますかといったことを聞いて測定してるんです。結果を言うと、一一ヘルツを聞かせても、聞かせなくてもあんまり変わらなくて。そのレベルで縮めるのは、ちょっと難しいかなと思ってます」

　結局、時間の知覚は、一筋縄ではいかない。さっきは、視覚と聴覚の違いに着目したけれど、ここでは時間の長さのスケールも関係しているようだ。

つまり――

ミリ秒単位のごく短い時間帯では、小脳や運動野がはたらき、一秒を超えると視覚野や聴覚野がそれぞれ関与し、ずっと長くなって何日、何年というふうになると記憶がかかわってくる。

時間の知覚とは、まさに脳をあげて行うもので、「時間帯」によって処理する部位が違いつつ、それらが時々、バッティングしつつも、結局は、シームレスにつながって「時間」というふうに感じられる。それ自体、驚異だ。

なお、四本さんは、まだ「退屈な会議を早く感じさせる」仕組みを諦めていない。

「音で成功したら、退屈な会議が早く終わるCDみたいなのを売ろうと思っていたんですけどね（笑）。それが無理となると、次に試したいのは指先とかに小さなデバイスをつけて、ビリビリと振動させ続けたらどうだろうかと。身につけていてもわからないようなやつで」

確信するのは、そんなデバイスができたら、世の中でほしがる人はたくさんいる！ということだ。ぼくもほしい。

それから……ノーベル賞は無理かもしれなくても、イグノーベル賞ならすごく相応しい。世界を幸せにする、真面目でアホな発明（失礼！）になりうる。

## わたしたちは同じ「赤」を見ているのか

「時間の知覚」「感覚統合」「脳の性差」といったことを研究する四本さんは、「地味」「細かい」と自分では言いつつも、とても興味深い研究を推し進めている。そのうち、「時間の知覚」だけでも、興味津々ではちきれそうなほどの研究の最先端のお話を伺った。お腹いっぱいに近い。

このあたりで趣向を変えて、四本さんがどんなふうにしてこの研究にたどり着いたのか聞いておこう。

「今思えばですけど、やっぱり自分の知覚、内的な体験というのについて、思いをはせるような子どもでした。幼稚園だか小学校の低学年ぐらいのときに、私が見ている赤い色が、他の人が見ている赤い色じゃなかったとしても、それはどうやったら証明できるんだろう、みたいなことをちょくちょく考えていたんです。それって、まさに自分の中での知覚というものをどう定量的にはかって、他の人と比べることができるのかということなんです」

いきなりすごい話だ。

自分が見ている赤が、他の人が見ている赤と同じかどうか、わりと小さい頃に疑問に思った人は多いと思う。でも、ほとんどの人は、そういうものを一過性の疑問として忘れてしまう。四本さんは、そこで踏みとどまり「どうやったら証明できるんだろう」という課題として考え続けた。

「そんな背景もありつつ、大学に入って網膜に並んでいる細胞の働きを学んだときに、神経節細胞という、素敵な細胞があるのを知ったんです。これがとっても賢いんです。網膜で一番最初に光を受容してから、本当に一、二、三ステップ目ぐらいのところにあるんですけど、周りの細胞と洗練された接続をしていて、まだ脳にもいかない網膜にある細胞なのに、例えば丸い形をすでに認識するんですよ」

目は脳の一部、というふうなことを聞いたことがあるけれど、実際に網膜上で、かなり高度な情報処理、画像処理が始まっているというのである。そして、網膜で巧妙に前処理された情報が脳の視覚皮質に届くと、さらに高度、かつ巧妙に、視覚という知覚をつくりあげていく。

一連の仕組みを理解した時、四本さんは「鳥肌がたつほど感動したんです」と強調した。自分にとっての赤と、他人にとっての赤を、どう比べて証明すればいいか考え続けてきた人にしてみれば、こういった機序の理解は、輝かしいものだと想像できる。

「というわけで、やっぱり視覚に興味を持って、大学三年生の時から研究するようになりました。他にもちょこちょこ縁があって、大学四年生の時、東大医学部でやっていた実験の被験者として呼ばれて行ったときに撮ったMRIの画像があれです」

四本さんはデスクの上に掲げられた写真を指差した。

なにか脳をスライスした断面写真があるなとは思っていたのだが、それが大学四年生の時の本人のものだったとは！

「MRIはすごい！　って感動したんですが、当時、なかなか気軽に使える機械じゃなくて、これを撮ってくださった先生のラボに押しかけて、ちょっとお手伝いさせてくださいって、しばらくアシスタントをしたんです。そこからもっと興味が膨らんで大学院に進学して、MRIで研究していこうかなということになりました」

その後、四本さんは、東京大学で修士号を取得、アメリカ・マサチューセッツ州のブランダイス大学で心理学の博士号を取った。博士課程からの留学というのは、実はかなり勇気がいることだ。異国の教育システムに適応できなければ、学位も取れずに戻ってこなければならなくなる。学位を取った後のポスドク研究員として海外ポストを得るのと根本的に違う。

しかし、四本さんはその時の決断も「そっちの方が面白そうだから」というふうに気軽に選んでいる。知的好奇心の赴くままだ。

さらに、ボストン大学・マサチューセッツジェネラルホスピタルとハーバードメディカルスクールでポスドク研究員として五年ほど働いてから帰国。慶應義塾大学の特任准教授を二年間務めた後に、東京大学大学院総合文化研究科の准教授に就任している。

一直線な研究者人生だ。もちろん、後から見ればそう見えるのは当然としても、幼いころの疑問から、すーっと一本の線が引かれているかのようなこのストーリーは印象的だった。

「私、就職活動したことないんですよ。目の前にある、自分にとっておもしろいものしか見てこなかった結果、こうなったといいますか」

そして、今では自分の研究室を構え、優秀な学生を擁し、自分がラストオーサーとして論文の質を保証するような形になりつつも、非常に生産的なラボを維持している。ぼくが錯視について意見交換した大学院生たちは、修士課程の頃からトップレベルの学術誌に論文を発表している第一線の研究者でもあった。

これが、もし学生の数が少ないとか、頼りないラボだと、主宰者が孤軍奮闘しなければならなくなり、研究室全体としての生産性も落ちてしまう。四本さんは、今では「目の前にある、自分にとっておもしろいもの」に共鳴してくれる仲間（共同研究者やポスドク研究員や学生）をつぎつぎと引き寄せて、チームとして最大のパフォーマンスを発揮できるように心を砕く立場だ。

## 「分離脳」が明かした感覚のつながり

すでに「時間の知覚」についての研究は紹介した。

さらにそこから進んだ話題にも触れておこう。

ひとつは、「多感覚統合」について。ぼくたちはいろいろな感覚を通して、この世界を認知したり、それをもとに行動したりしている。その際、ひとつだけの感覚に頼っていることは、実はあまりない。様々な知覚が、脳の中でどんなふうに並列処理され、統合されるのかというのは、とても重要なテーマだ。実は、前回の時間の知覚の研究も、視覚と聴覚がせめぎ合うという意味では、すでに多感覚統合の研究だったともいえる。

深く突っ込めば、どんどん専門的になってしまうが、ここではできるだけ分かりやすい例を挙げてもらおう。

「ちょっと変わり種の共同研究なんですが、臨床研究をやろうとしたら、基礎研究になってしまったみたいなプロジェクトがあるんです。脳の左半分と右半分が生まれつきつながって

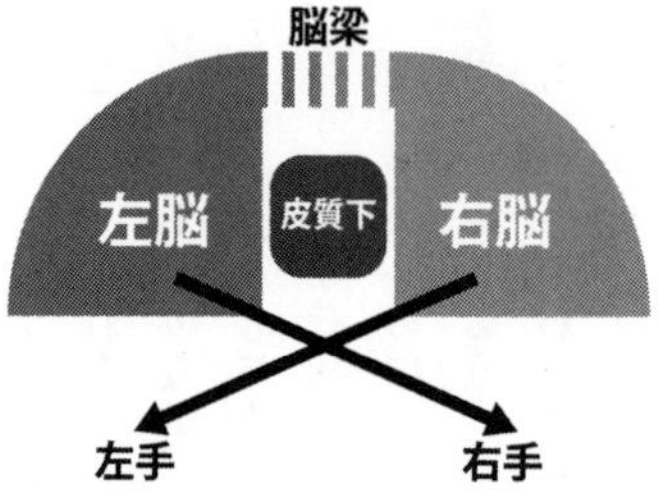


手でものを掴む場合

脳梁を欠く分離脳の場合、左脳は右視野と右手、右脳は左視野と左手と担当がはっきり分かれているため、右視野にあるものを左手で摑めない。画像提供：四本裕子

いない患者さんがいらっしゃって、分離脳と呼ばれています。さっきお見せした川端さんのMRIでは、左右の脳の間に太いコネクションが白く見えていたと思うんですが、分離脳の人は、それがないんです」

　分離脳、英語ではスプリット・ブレインという。右脳と左脳をつなぐ脳梁《のうりょう》がないために、研究対象としてよく取り上げられてきた。もともと脳梁を欠く疾患の人もいれば、重いてんかんを患い片側の脳で起きた発作が隣の脳にまで波及するのを防ぐために脳梁を切断した人もいる。本来あるはずの情報伝達経路がない人たちを見ることで、分かってくることがあるという。

「人の視覚って右の視野に何かを見せると、その情報は左の脳にいくんですね。一方、左の視野に見せると、その情報は全部右の脳にいく。我々の脳は、視覚情報を左右別々に処理して、脳梁を介して情報をやりとりする仕組みになっているんです。とすると、分離脳の人の右視野にだけ何かを出すと、その情報は左の脳しか知らないわけです。逆も然りです。一方で、右の脳は左手を、左の脳は右手をコントロールしています。なので、右視野に何かを出すと、左の脳はそれを知っているけれど、右の脳は知らず、右脳がコントロールする左手でそれをつかむことができない。だって、知らないんですから」

実は、ここまではよく知られている実験で、四本さんたちが発見したのは、「その先」だ。

「やっぱり時間についての研究です。右視野と左視野に時々いろんなものを出しつつ、片方の視野に見えているものの時間を知覚してもらうんです。その時に、時間を知覚してもらうメインのオブジェクトと反対側の視野に妨害刺激みたいなものを出すと、ものすごく成績が悪くなるんです。見事に邪魔されてしまう。で、ここから何が言えるかっていうと、脳梁がない分離脳でも、下の部分でつながってるんですよね。サブコーティカル、皮質の下と書いて、皮質下と言われる部分です」

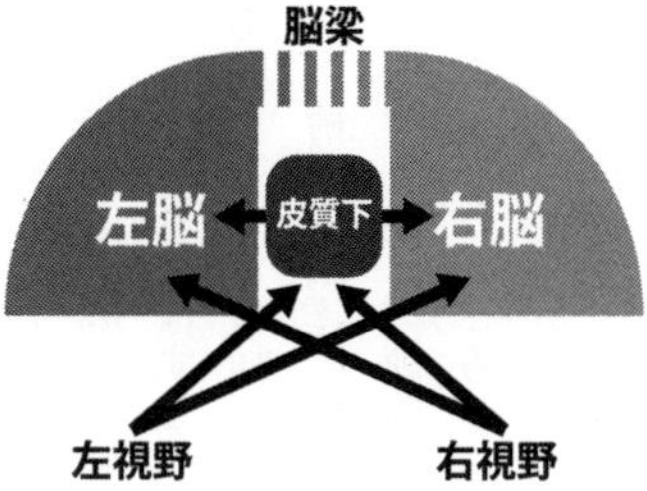


**視覚刺激の時間の知覚**

時間の知覚が関係するときは、分離脳でも左右の脳がつながりをもつという結果を得た。脳梁がなくても左右の脳はもっと「下」の部分である皮質下ではつながっており、時間の知覚に関しては皮質下が関わっていることが示された。画像提供：四本裕子

手でものを摑《つか》むような運動については、大脳皮質が大いに関わっているので、ものをつかめ

なかったのだが、時間については脳梁とは別のところでつながっていたと！　なお皮質下というのは、大脳（大脳皮質）の一部ではなく、生き物としてもっと古くからある部分だ。

「この結果にはすごく驚きました。でも、考えてみると、時間を処理する脳内メカニズムは、幅広くすべての動物が持っているわけで、そういう意味では、どんな動物でも共通した部分が、情報の伝達に使われているというのは、とても納得のいく結果だったんです」

四本さんは、地味、地味というのだけれど、本当に地味だろうか。

ふとしたところから、一気に、時間の情報処理をめぐる生命進化の歴史にまで視野が広がるのは、なにか本質的な研究を成し遂げた時の醍醐味《だいごみ》だろう。

とはいえ、やっぱり、脳のディテールや機能に関わる話は、ふだんからこの分野に関心がない人でなければ、理解するまでの負荷が重い。

四本さんが最近かかわっている研究の中には、ひとつ表題レベルからして一般の関心が非常に高そうなものがある。それは、「脳の性差」だ。

## 「男脳」「女脳」は科学的には支持できない

「脳の性差」、つまり、「男の脳」「女の脳」の話をとりあげるにあたって、まず、お断りしておくと、この先の話は、友人との雑談の中で「だから男は●●で、だから女は◆◆だ」というふうに盛り上がる話にはなりそうにない。むしろ、これまでこうだと言われてきた神話を剝ぎ取るような話になる。

四本さんは東大の教養学部がある駒場キャンパスの准教授なので、大学に入ってほやほやの一年生の講義を受け持つことがある。その時のエピソードをもって、まず想像してほしい。

「駒場の一年生の心理学の講義で、最初にやるんですよ。血液型性格判断がいかに正しくないか、科学的じゃないか。でも、結構な数の子がそれでショックを受けちゃうんですよね。今まで信じていましたって。でも、サイエンスとしての心理学の講義をとる以上、そこのところはちゃんとしてほしいです。血液型性格判断は、もう一〇〇パーセント非科学的なんですけど、ただ、血液型性格判断を信じてしまう人の心理っていうのは、おもしろい研究対象ではありますね」

血液型性格判断については、もう信奉する人が度を越していて、ぼくもうんざりなので、四本さんのこの姿勢には大いに共感する。それが「正しくない」「科学的じゃない」理由については、本稿のカバーする範囲ではないと思うので触れないが、学問的にまったく支持されていないという事実はゆるぎなく、これまで信じてきた人は、そんな変な枠組みに自分自身や他人を鋳込むのはやめておいた方がいい。

さて、脳にかかわる世間の関心は強く、さまざまなことが語られる。科学的な根拠がなかったり、あったとしても曲解、拡大解釈して、結果、誤った理解を広めてしまうことが絶えない。たとえば、二〇〇九年、OECD（経済協力開発機構）が公表して、有名になった「神経神話」〝Neuromyths〟には、「人間の脳は全体の一〇%しか使っていない」「右脳人間・左脳人間が存在する」「脳に重要なすべては三歳までに決定される」「男性の脳と女性の脳は違う」などが挙げられている。

脳の性差は、まさにこの「神経神話」の代表的なもののようだ。四本さんは、そこにどう切り込むのか。

「間違った心理学で、男性がこう、女性がこうとか、世の中ではよく言われていますね。例えば、男女の脳の違いとして、男性の方が左右の脳の連携がよくないとか。これには、元になった論文がありまして、一九八二年に『サイエンス』誌で発表されています。男女それぞれ、脳梁の太さを測ったら、女性のほうが太かったと。でも、この論文のデータは男性九人、女性五人からしかとってないんです。それだけで、女性のほうが左右の脳の連絡がよくできているっていう結果にしている。そもそも信頼性がないし、その後、いろいろな研究者が再現しようとしたものの、結局できていません。今さすがにこれを信じている脳科学者はあんまりいないんですよ」

現在の知見では、少なくとも形態上、男女の脳に違いはない、ということになっているそうだ。しかし、「男女の脳」「脳梁」といったキーワードで検索すると、驚くほどたくさんの結果がヒットして、「脳梁が太いから女性はおしゃべりで、感情的」みたいなことが平気で書いてある。

## 科学における誠実さとは

では、「脳の性差」を研究する四本さんは、「性差がない」と見越した上で研究を進めているのだろうか。

もちろん、「ない」ことを証明するのは難しいし、科学的な議論としては、検出できる違いがあるか、あるならどの程度か、ということになるのだろうが、それでも、見通しがどの方向なのかというのは知りたい。

「私、別に男女の脳に差がないとは全然思ってなくて、絶対あると思っているんです。でも、じゃあ、それがどんな差なんだろうっていうときに、気をつけてもらいたいことがあります。

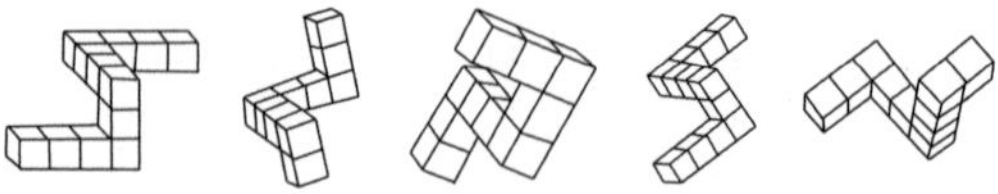

メンタルローテーション課題の例。画像提供：四本裕子

たとえば、これを見てください。メンタルローテーション課題というんですけど、立体図形を頭の中でクリクリッと回して、一致するものを探す課題ですね。これって、世の中にある諸々の課題の中で一番、男女差が出やすいっていわれてます」

これはぼくも聞いたことがある。「女性は地図が読めない」という理由付けに使われていた。それ自体、神話の香りがする説だが、そこはスルーして、四本さんの説明をさらに聞く。

「じゃあ、この課題での男女差ってどのくらいだろうっていうときに、横軸に点数をとって、縦軸にその点数をとった人の人数をプロットしたヒストグラムを作ります。右にいくほど成績がいい人で、左にいくほど成績が悪い人で、平均あたりに一番人数が多いという形になった時、男性と女性のプロットを比べると、女性はちょっとだけ全体的に左にずれている。これは統計的にはめちゃめちゃ有意なんです。確実に男女差がある。でも、有意だというのと、大きな差があるかというのは別で、男女のヒストグラムがこれだけ重なって、男女の平均の差よりも、個人差の方が大きいよねってくらいのもの

メンタルローテーション課題の男女別成績分布の典型例

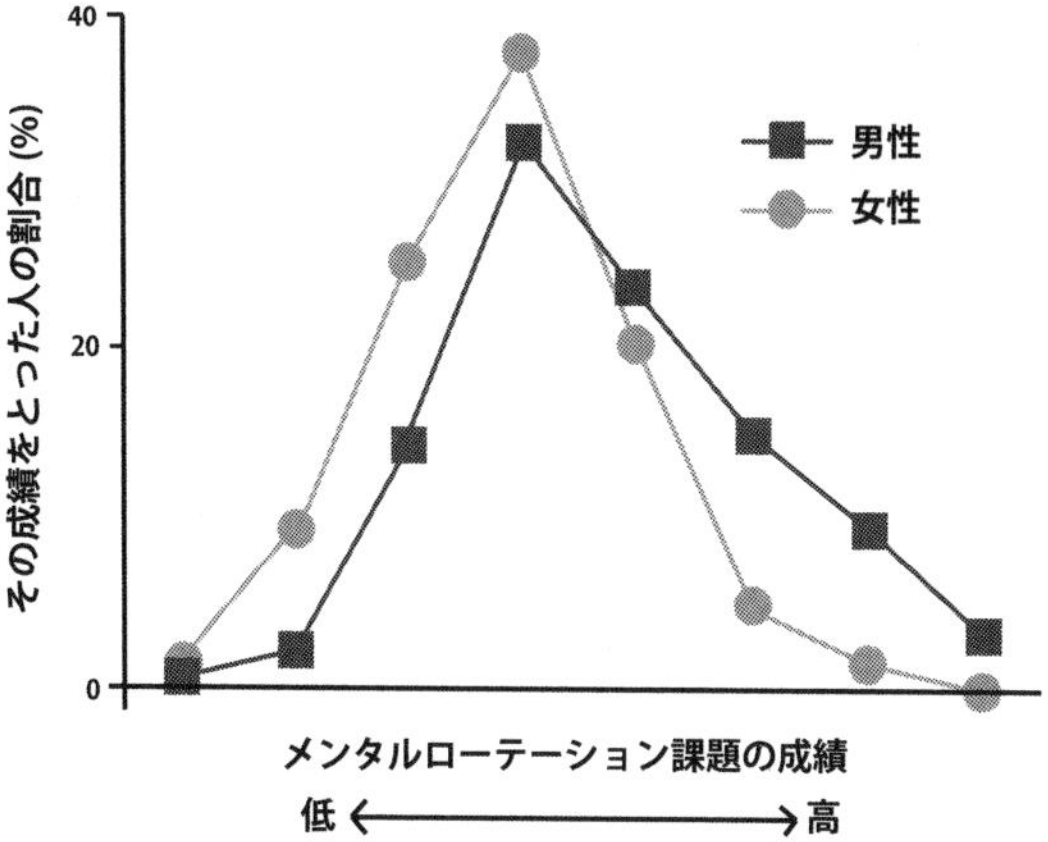


最も差が出るテストでも、男女の平均の差よりも個人差のほうが明らかに大きい。画像提供：四本裕子

ですよね。一番、はっきり差がでるものでもこれくらいですから」

すごく大事なのは、集団Aと集団Bの間に差があると分かった時、それが統計的に「有意」であったとしても、それだけで、集団Aの構成員はこうで、集団Bの構成員はこうだ、とは決めつけられないということだ。集団間にある分布の違いを明らかにすることと、構成員の個々の特性を明らかにすることは全く違うことなのに、しばしば混同される。

さて、それでは、四本さんが、以上のような前提に立って、また、手持ちの武器である高性能なｆＭＲＩ装置を使って分かってきたことは？

「先にも言いましたが、最近の男女差研究って、スキャンして見たら、この部分が男女で形態的に違うみたいなことはもうないんです。では、何が違うのかというと、脳内部でのつながりの強さなんです。私たちの研究では、脳の中の場所を八四カ所に取り分けて、そのつながりの強さの違いを、八四×八四の組み合わせで考えてます」

これは四本さんが自家《じか》薬籠中《やくろうちゅう》の物とするｆＭＲＩの面目躍如たる研究だ。脳の形態も血流もすべて考慮して、八四×八四の組み合わせ（正確には二で割って三五〇〇くらいの組み合わせ）を総当り的に見ている。様々な部位が、別の部位とどれくらい強くつながっているかを丹念に確かめ、その結合の強さで色分けすると、ちょっと訳のわからない模様が浮き上がってくる。

「八四×八四の組み合わせの表を男女別に作って、女性と男性の差を計算してあるんです。八四カ所、それぞれ脳の場所の名前がついています。それで、皆さん、関心があるのは、こういった組み合わせで何が言えるだろうってことだと思うんですけど、それはわからないです。ただ、こういったもののパターン認識は、最近の機械学習が得意なので、パターンの違いを学習したＡＩに分類させると、まあまあの精度で男女を見分けることができる、くらいのことは言えるんです。でも、これって、たぶん男女じゃなくても、これくらいの差は出るんですよね。例えば、二〇代の人と三〇代の人、というふうに比べてもやっぱり差はでると思います」

違いはある。パターンの違いで見分けることもできる。男女という分け方だけでなく、年齢差やほかの分け方でも、ネットワークの結合パターンの違いは見えてくる。

今わかっているのは、それくらいだ。

ここから新たな神話を引き出すというような話ではないらしい。

やがて、こういったネットワークの結合パターンが男女の認知や行動などの違いとどう関係しているのか分かる日が来るかもしれないが、それも、おそらくは「メンタルローテーション課題」の場合と同じで、集団としての分布の違いは言えても、個人の差をはっきりと語るものにはならないだろう。

それでも！　相変わらず、神経神話は量産され続けている。四本さんは、同じくｆＭＲＩを使って、男女の脳のネットワークに統計的な差を見つけたとする論文が、その後、どのように伝わっていったか追跡した論文（ややこしい！）を見せてくれた。

「これ、二〇一四年の『プロスワン』誌に科学コミュニケーションの研究者たちが書いたものです。まず、注目した論文というのが『PNAS（米国科学アカデミー紀要）』に出たfMRIを使った脳研究で、脳の中のネットワークが、女性は半球〝間〟のつながりがやや強くて、男性は半球〝内〟のつながりが強い傾向があるというものでした。その後、論文からプレスリリースになり、ニュースにとりあげられてブログの記事になり、ニュースのコメント欄、ヤフコメみたいなところにいくにつれて、本来は「結合パターンに統計的な差が見つかった」って話なのに、「女性はマルチタスクにすぐれていて、男性は難しい課題に集中することができる。だから女性は家にいて家事をやるのが得意で、男性は外で仕事をするのがいいということがわかったと報告された」になってしまうと。いかに細心の技術と知識を使って、二群の差をあらわそうとして、単純化できないような差を見つけたとしても、そんなものは社会に必要とされていないんだなあと思い知らされます」

科学的であろうとすると、大風呂敷を広げるのを自制して、地味になる。にもかかわらず、こと脳神経については、自分の研究がすぐに「神話」に組み込まれてしまう可能性と常に隣り合わせだ。では、どう伝えればいい？

四本さん自身もジレンマを抱えているわけだが、何時間もお話をうかがって、今、この原稿を書いているぼくにしてみても、やはり大いなるプレッシャーを感じざるを得ない。

さて、ここまで読んでくださったみなさん。

ぼくが描いた四本さんの研究は、地味だけど充分に知的好奇心を刺激しましたか？　それとも、「はっきりした結論を出さない」がゆえに、もどかしく不親切なものだったでしょうか。

前者なら、いいなあと、心から願う。

## 研究を志す若い人へ

四本裕子

私は幼い頃から暗記する勉強が嫌いでした。研究者になってから、その苦手意識から解放されました。研究に必要な勉強のほとんどは知識を得るためのもので、何かを覚えることではありません。覚える必要はなく、答えがどこに書いてあるかを、後から探し出せる形で記録しておけばいいのです。だから、勉強が苦手だから研究には向いていないというのはナンセンスです。考えることが好きな人、みんなが当たり前だと思っていることが当たり前だと思えない人、モノの仕組みを理解したいと思う人は、研究者に向いていると思います。

研究者として見る世界は、たぶん、ちょっと特別です。自分が世界ではじめて明らかにして発表するという経験。日常生活や旅行先で目にしたものに、自分の研究への繋《つな》がりを見出した瞬間の喜び。興味を共有する世界各国の研究者との交流。仮説を一つずつ検証して理論を組み立てる楽しさ。他の仕事を知らないので完全な主観なのですが、研究者として生きることは最高に幸せだと私は思っています。

ただ、大学や大学院は試験を受けて入学しますので、研究者になるには暗記も含めた勉強が必要です。一時的な努力だと思って、まずは勉強も頑張ってください。

# 忍び寄るマイクロプラスチック汚染の真実

高田秀重

## たかだ・ひでしげ

1959年、東京都生まれ。東京農工大学農学部環境資源科学科教授。理学博士。1982年、東京都立大学理学部化学科を卒業。1986年、同大学院理学研究科化学専攻博士課程を中退し、東京農工大学農学部環境保護学科助手に就任。97年、同助教授。2007年より現職。日本水環境学会学術賞、日本環境化学会学術賞、日本海洋学会岡田賞など受賞多数。世界各地の海岸で拾ったマイクロプラスチックのモニタリングを行う市民科学的活動「インターナショナル・ペレットウォッチ」を主宰。

東京農工大学農学部環境資源科学科の高田秀重さんは、世界的な課題になっている海洋マイクロプラスチック汚染の問題にいち早く気づき、警鐘を鳴らしてきた。二〇世紀の終わり頃から研究に着手し、二〇一七年の国連海洋会議では分科会の基調講演を任されるなど、この問題を世に知らしめる努力を重ねてきた。日本国内では高田さんらが主導した世界的な関心の高まりに後押しされて、やっと最近になって話題にされるようになった感がある。そんな大きな変化を世界にもたらした高田さんの研究スタイルは独特なものだ。「化学者」と言われてイメージする「実験室で白衣を着てフラスコを振っている」ような姿は半分だけの真実で、残りの半分は「フィールドワーク」で世界中を飛び回っている。我々の社会において、人工の化学物質は生活を豊かにするために使われており、一概に否定できない。しかし、意図せず環境に放たれてしまったものが長い間残留し、まわりまわって悪影響をもたらすなら、それはまぎれもなく「汚染」だ。高田さんは、この世界における「環境汚染の監視人」を自任し、現状を把握した上で、解決の仕方を模索する。研究においては、大いなる使命感と同時に、謎解きの喜びを感じることも多いという。「知りたい」という欲求から始まった大きな旅が、今につながっている。

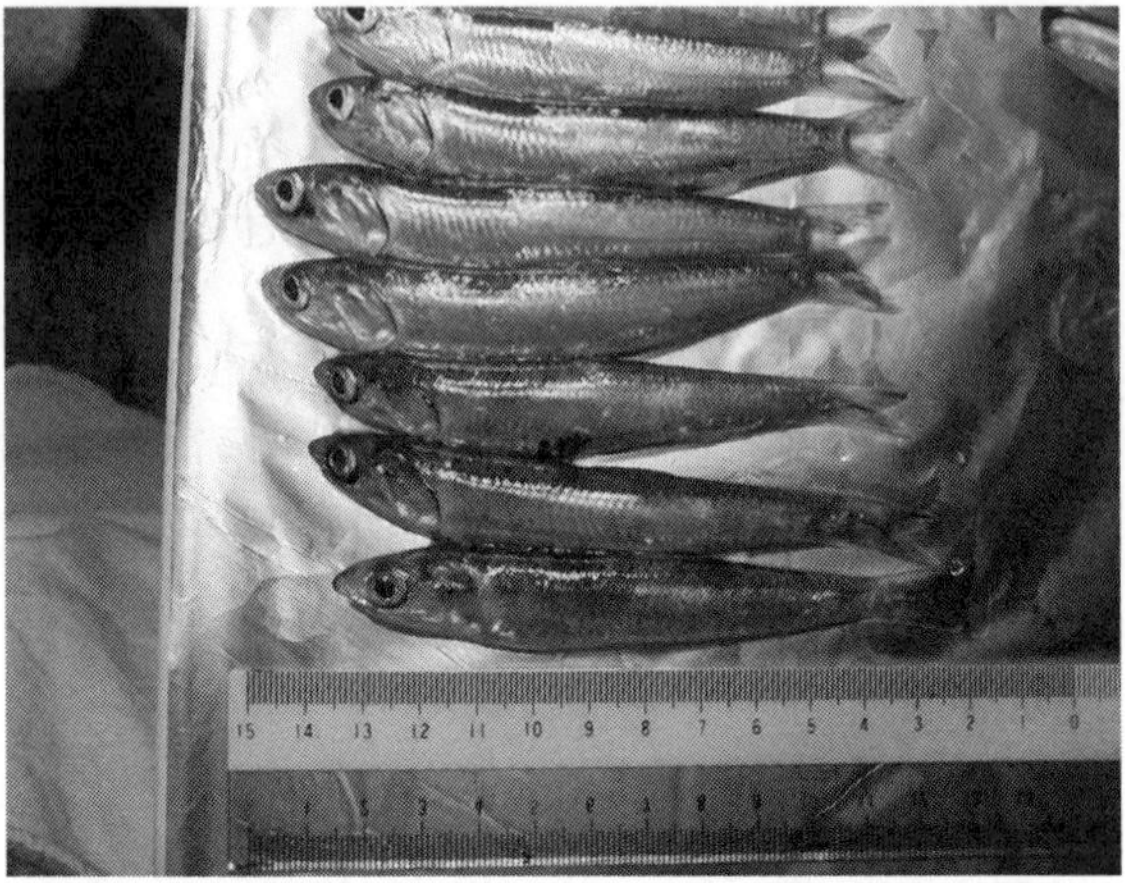

2015年に東京湾の埠頭で釣ったカタクチイワシ。写真提供：高田秀重

## 東京湾の魚からマイクロプラスチック

「このままだとみなさん、プラスチックの屑《くず》がまじった魚を食べることになりますよ。もう食べているかもしれない」と東京農工大学の高田秀重教授は言う。

高田さんが主宰する水環境保全学／有機地球化学研究室では、環境中で見つかる残留性の高い人工物質について幅広く研究を展開しており、それらの中でぼくが最初に強く印象づけられたのが、まさにこの話題だった。

高田さんたちが、二〇一五年、東京湾の埠《ふ》頭《とう》で釣ったカタクチイワシを調べたところ、八割の消化管の中から、様々なプラスチック片が出てきたというのである。もちろん、魚の消化管は、普通は食べずに捨てるわけだが、何かの拍子に口に入ってしまうこともあるかもしれない。いや、小さな魚だと内臓を抜かないまま揚げることもあるし、サンマの塩焼きのようにワタの苦味をむしろ楽しんで食べることもある。とすると、やっぱり、食べてしまっているかも……。

考えるだにショッキングだ。高田さんの淡々とした穏やかな口調ゆえに、逆にリアリティが増した。

「釣ったものをさばいて胃腸を取り出して、アルカリに漬けて一週間もすると、中のプラスチックだけが残って浮いてくるんです。それを分析機械で確認したところ、ポリエチレンとかポリプロピレン、それも、大きさにすると一ミリ前後のものが多くあると分かりました」

ここで見つかったプラスチック片は、近年、「マイクロプラスチック」として問題視されるようになったものだ。国連の海洋汚染の専門家会議の定義では、「大きさが五ミリ以下のプラスチック」である。もちろん人間が環境中に放出したプラスチックに由来するもので、高田さんは、世界的にも早くから研究を続けてきた功労者の一人だ。

さて、それでは、カタクチイワシの消化管から見つかったマイクロプラスチックはどういうルートでここまで来たのか。東京湾の話だから、東京、千葉、神奈川など、東京湾に面し

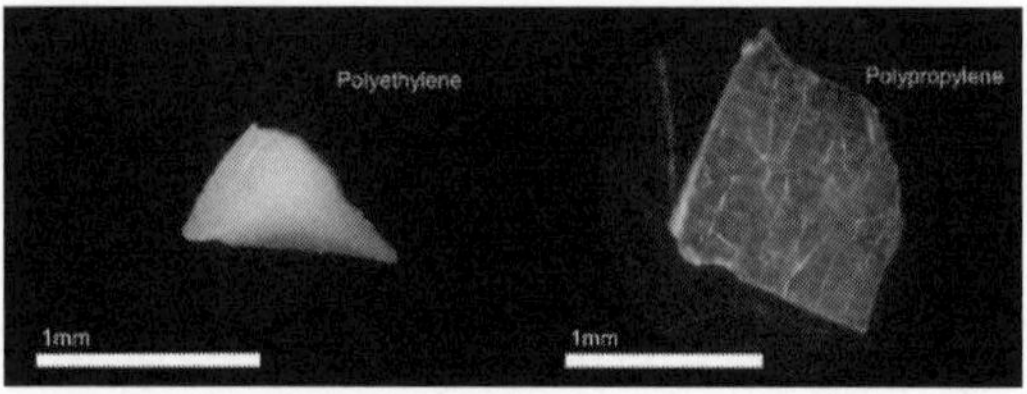


カタクチイワシの消化管の中から見つかったマイクロプラスチック片。左がポリエチレンで、右がポリプロピレン。マイクロプラスチックは8割の魚から出てきた。写真提供：高田秀重

た地域から出たもののはずだが、こういった地域では、基本的にはプラスチックゴミは、収集・処理されているはず。ポイ捨てされたものだけで、「八割のカタクチイワシ」に行きわたるものなのだろうか。いや、そもそも、どうやったらこんなに小さく揃《そろ》ったプラスチック片ができるのだろう。

「よく説明するのに使うのはこういうものです」

高田さんは、色あせた古いプラスチックの塊を差し出した。見慣れた洗濯バサミだ。でも、指でつまむ部分が壊れてしまっている。

「例えば、洗濯バサミも、外で一年も使っているとポキッと折れやすくなりますよね。陽の光にさらされて、紫外線の力でこうやって壊れてしまう。海の表面でも、やはり日の光はずっと当たっていますので、壊れる作用が進んでいきます。さらに海岸にプラスチックが落ちていると、紫外線が当たるだけでなく、海岸の砂浜も熱をもちますので、それによってボロボロになる

速さがどんどん加速されていくんです。ちなみに、一枚のレジ袋から、数千個のマイクロプラスチックができると言われています」

洗濯バサミにしても、レジ袋にしても、ペットボトルにしても、長期間、紫外線に当たって、なおかつ高温にさらされるとボロボロになる。例えば、風に飛ばされたレジ袋がそのまま川に落ちて流れていったとしたら、そこからは数千個のマイクロプラスチックが発生しうるのだという。これまで考えたこともなかった。

さらに、海に流れたプラスチックゴミを砂浜に集めて、効率的にボロボロにしてしまうような仕組みが自然界にある。

「海に浮いているゴミって、大きいうちは砂浜に打ち上げられる法則があるんです。そして、小さくなると、今度は沖合に出て行きます。専門的には、ストークスドリフトって言います。つまり、大きい破片が砂浜に打ち上げられて、そこでボロボロになって小さくなると、今度は海に戻っていくわけです。小さくなって海に行ってしまうともう回収するのはほとんど不可能です。プランクトンネットで海じゅうをすくわなければならなくなりますから」

プラスチックとは、当たり前だが、一種類ではない。もともと「可塑性がある」というのが〝plastic〟の原義で、熱を加えて自由な形にできる合成樹脂のことを指すようになった。

今ぼくらが日本語で「プラスチック」と呼んでいるものの中には、ポリエチレン（レジ袋や、ラップ、容器など）、ポリプロピレン（耐熱容器や玩具など）、ポリスチレン（発泡スチロールなど）、ポリ塩化ビニル（多岐にわたる用途。塩ビパイプなどがよく知られる）、PET（ペットボトルなど）などが含まれる。総称としては、むしろ合成樹脂とした方がよいのかもしれないが、ここでは日常用語としての「プラスチック」で通す。

## マイクロプラスチックはなぜ問題なのか

さて、プラスチックの多くは、最初、海面近くを浮遊する。特に生産量が多い、ポリエチレンとポリプロピレンは水よりも軽いため、小さくなっても浮いている。カタクチイワシは、プランクトン食だから、それを間違えて食べてしまうのだろう。あるいは、最近ではプランクトンそのものがマイクロプラスチックを取り込んでしまう事例の報告もあるので、「マイクロプラスチック入りプランクトン」を食べた可能性もある。

そして、こういったカタクチイワシや、「カタクチイワシを食べた魚」が、ぼくたちの食卓に上がるとする。結局、ぼくたちが環境中に出してしまったものが、まわりまわって自らのもとへと返ってきてしまうのである。

「我々は汚染する者であり、汚染される者でもあるんです」というふうに高田さんは表現した。

想像するだけで気持ち悪いが、もしも人体に入っても、消化されることもなくそのまま排《はい》泄《せつ》される。だから、これはあくまで気分の問題であって、気にする必要はないかもしれない。

というのは、あくまで楽観的な「見込み」だ。そして、残念ながら間違った「見込み」でもあるらしい。

「プラスチックには、もともと添加剤が入っていますし、汚染物質を吸着してしまう性質もあります。海中のプラスチックの汚染物質濃度は、周辺の海水中の一〇万倍から一〇〇万倍にもなるんです。それらの中には、内分泌攪《かく》乱《らん》物質、いわゆる環境ホルモンと言われるものもあります。環境ホルモンは、九〇年代にちょっと騒がれすぎて、今は反動で報道されにくくなっていますが、だからといって安全というわけではありません。動物実験や細胞実験では、内分泌系の攪乱だけではなくいろいろな影響が示唆されていますので、取り込まない方がいいに決まっています。さらに、とっくに禁止されてもう使われていない化学物質ＰＣＢ（ポリ塩化ビフェニル）など環境中に残留しているものも吸着して、高濃度になっています」

環境ホルモンについては、一時、「男性が女性化する」「子どもができなくなる」「ガンになる」などと大騒ぎになって、その後、しゅっと萎《しぼ》んでしまった。しかし、実験室レベルでの毒性はその後も研究され続けているという。一方、ＰＣＢは、公害病であるカネミ油症の原因になったり、発がん性、催奇性があることで知られている。健康被害がはっきりしたため、七〇年代の初頭には使用が禁止された。その後、四〇年近くたっても、ひとたび放出されたものが環境中に微量ながら残っており、それをマイクロプラスチックなどが吸着することで濃度を高めてしまう。実は、ＰＣＢにかぎらず、油脂に溶けやすいタイプの有毒物質は、軒並みプラスチックに吸着しうる。

さて、かなり深刻に思えてきたのではないだろうか。

「ただ、マイクロプラスチックが有害であるとはっきり分かったわけではありません。国際的に進められている対策は、予防原則的な立場からのものです」

高田さんは慎重に留保をつけて、そう言った。しかし、実際に、多くの国々や自治体で、様々な施策が取られるようになってきているのはまぎれもない事実なのである。

「二〇一四年には、アメリカのサンフランシスコ市で、ペットボトルでの飲料水の販売が禁止されました。フランスでは、プラスチック製の使い捨て容器や食器を禁止する法律ができて、二〇二〇年から施行されます。プラスチックゴミについて、いわゆる３Ｒ、リデュース

（減らす）、リユース（繰り返し使う）、リサイクル（材料として再活用する）の中でも、まずリデュースしよう（減らそう）というのが大きな流れです」

高田さんは、二〇一七年六月にニューヨークで開かれた国連海洋会議に出席し、その中の海洋ごみ、プラスチック及びマイクロプラスチックをテーマにした分科会で基調講演を任された。その時に強調したのが、「3Rの中で特に削減が第一」という点だったそうだ。会場の研究者も政府関係者も、その点においては異論はなく、コンセンサスと言ってよいものだったという。またその場で、レジ袋などの使い捨てプラスチックを規制する国際条約案が検討されたりもした。

このようなわけで、今、マイクロプラスチックの問題が、国際的に大いにクローズアップされて、時代が動こうとしている。その中心的な動きの中には、高田さんのように日本の研究者もいる。しかし、正直、日本でこの言葉を日常的にメディアで見かけるようになったのは、せいぜいここ数年のことではないだろうか。

長年、問題を追いかけてきた高田さんのガイドで、まずは今世界で起きていることを理解するところから始めよう。

## 海のプラスチック量が魚を超える日

高田秀重教授は、「環境汚染の化学」の専門家だ。

みずから現場に赴いてサンプルを採取し、研究室で分析する。フィールドとラボの間を行き来する研究スタイルで、世界中の環境汚染の現場を見てきた。そんな中、マイクロプラスチックの問題は研究室のひとつの幹とも言えるテーマになっている。

海のプラスチック汚染問題、さらにマイクロプラスチック汚染問題がどんなふうに認識され、理解が深まってきたのか教えてもらおう。

「こういったことが問題になり始めたのは、一九七〇年代の初めにさかのぼります。七二年に、カリブ海の東の海域で、プラスチックのゴミがたくさん浮いているという報告がありました。バミューダトライアングル、あるいはサルガッソー海と呼ばれるところです。風が吹かず、帆船の時代には、たくさんの船が難破したので有名ですね。それに続いて、ウミガメの体内からプラスチックが見つかったなどと報告されました。プラスチックの大量消費は、一九六〇年代に始まっていますから、その影響が出始めたのが一九七〇年代ということです。ただ、七〇年代、八〇年代の報告は散発的で、社会的にそれほど大きな関心を集めるには至らなかったと思います」

一九七二年といえば、環境問題について、世界で初めての大規模な政府間会合である国連人間環境会議（ストックホルム会議）が開催された画期的な年だ。海洋のプラスチック問題が認識された背景には、環境意識の高まりもあっただろう。

次に大きな動きがあるのは、一九九〇年代後半。「市民科学者」を名乗る人物の活躍と、前にも触れた「環境ホルモン」騒動で、海のプラスチックゴミの問題が大きく取り上げられるようになる。

「キャプテン・チャールズ・モアという人が、太平洋の真ん中、ハワイのちょっと北側あたりにプラスチックがたまっている場所があると報告しました。この人は、研究用の大きなヨットを持っていまして、世界の海を回る中でたまたまその海域で風を待っていたところ、周りを見るとプラスチックがたまっていると気づいたんです。『プラスチックスープの海』（NHK出版）という一般書も出しています。彼らの試算では、その海域で、海に浮かんでいるプラスチックの量と、海洋中の動物プランクトンの量を比べると、プラスチックのほうが五倍ぐらい多いとしました」

とても強烈な試算だ。動物プランクトンよりも、海に浮かんでいるプラスチックの方が多い（重量ベース）というのである。このように数字が出てくるとにわかに問題の深刻さが分かる。ちょっと先走って書いておくと、二一世紀になってからの知見では、このままの状態が続くと海のプラスチックの量は、二〇五〇年までに魚の量を超える（重量ベース）との試算が、二〇一六年の世界経済フォーラム年次総会（通称ダボス会議）で示された。二〇一五年には、世界中で年間四億七〇〇〇万トンものプラスチックが生産されている。人類はせっせと化石燃料を掘り起こしては、その一部をプラスチックとして海に流し、それがつもりつもって、今や、プランクトンや魚などのバイオマスに匹敵する量に達しているのである。

一九九〇年代後半は、もうひとつ、重大な環境汚染問題が取り沙汰された。

「いわゆる環境ホルモンについても問題提起されたのはこの時期です。日本語にも翻訳されたシーア・コルボーンの『奪われし未来』が最初に刊行されたのは一九九六年（邦訳は翌九七年）。プラスチックというと、それ自体無害なように思えるんですけど、実は添加剤としていろんな化学物質が入っています。その中には、環境ホルモンとして働くものもあります。それだけではなくて、環境中の有害物質を吸着します。僕もその頃、ある人に勧められて、海岸に落ちているプラスチックに何が含まれるか調べてみました。すると、環境ホルモンの一種のノニルフェノールが、すごい濃度で出てきて驚きました。それで僕自身もこのあたりから、プラスチックのことを追うようになりました」

前述の通り、マイクロプラスチックには、環境中の有毒物質を吸着して濃縮してしまう性質がある。とっくに使用禁止になっているPCBも高濃度で見つかるのはそのためだ。一方で、ノニルフェノールは、環境から取り込む分だけでなく、もともとプラスチックの製造の時点で、添加剤として加えられることがあることもわかった。さらに、最近の研究では、難燃剤や紫外線吸収剤といった様々な添加剤がマイクロプラスチックに含まれていることが明らかにされた。マイクロプラスチックはこれらの化学物質の「運び屋」として機能してしまう。

高田さんたちが、この問題に取り組み、発表をし始めたのは二〇〇一年頃だそうだ。それに呼応するかのように、その前後の時期に、プラスチック問題に危機感を持つ人が増え、研究者も増えた。今や「プラスチックだから無害」とはとうてい言えないというのがコンセンサスになっている。

### 南極・北極から深海まで——広がる汚染

「二一世紀に入って初めの頃は、北極の氷の中から見つかりましたよとか、あるいは南極海に行ったら浮いてましたよとか、見つかる範囲が広がる報告が増えました。最近では深海からも見つかって話題になりましたね。僕たちが直接かかわった研究としては、離島のものがあります。例えば大西洋では、セントヘレナ島ですとか、カナリア諸島ですとか。太平洋では、イースター島とか、みなさんが名前を知らないようなヘンダーソン島、さらにインド洋のココス島とか。他の陸地からかなり離れたところでも見つかります」

さらに、二〇世紀の「プラスチック問題」が、二一世紀には「マイクロプラスチック問題」として再認識されるようになる。

「二〇〇四年に、イギリスのリチャード・トンプソンという研究者が、目に見えないぐらいの大きさのプラスチックも海の中、砂の中に存在すると主張しました。場合によってはそれらが生物に食べられてしまう、つまり生態系の中に入ってくると。それで、研究者の間でも、社会的にも関心を持たれ始めたということになります」

なお、高田さんがさまざまな離島のサンプルを得て、マイクロプラスチックを分析しているのは、「インターナショナル・ペレットウォッチ」という活動の一環だ。インターネットや雑誌で呼びかけて、世界の人に海岸に落ちている「ペレット」を見つけてもらい、送付してもらう。それを高田さんの研究室で分析して、どんな物質を吸着しているか調べる。

ここでいう「ペレット」というのは、海岸でよく見られる「レジンペレット」を指している。プラスチック製品を最終的な形にする前に、直径数ミリの円筒形か、円盤形の材料にする工程があり、その状態をレジンペレットと呼ぶ。ただ、これは消費者のもとに届いて、無造作に捨てられるというようなものではないので、どんなふうにして環境中に出てしまうのだろうかと最初、不思議に思った。

「確かに消費者が直接使うものではありませんが、プラスチック製品の消費が増えれば、作る量も運ぶ量も増えるということで、環境中に出てくる可能性も大きくなります。レジンペレット自体そんなに危険だとは思われてこなかったので、取り扱いが雑な時もありました。工場の中でも、輸送中にでも、こぼれてしまって、水路や川を通じて海に入ってくるわけです。タンカーがコンテナごと落としてしまって、近くの砂浜にレジンペレットが何センチもたまってしまったという事故の報告もここ一〇年ぐらいの間で何度かあります」

レジンペレット。通常は直径数ミリの円筒形か円盤形で、一般的なプラスチックゴミの破片があるところには、ほぼ100%ペレットが存在する。写真提供：高田秀重

たしかに、とても小さなもので、別に危険とも思われていないなら、多少こぼれたものは洗い流しておしまい

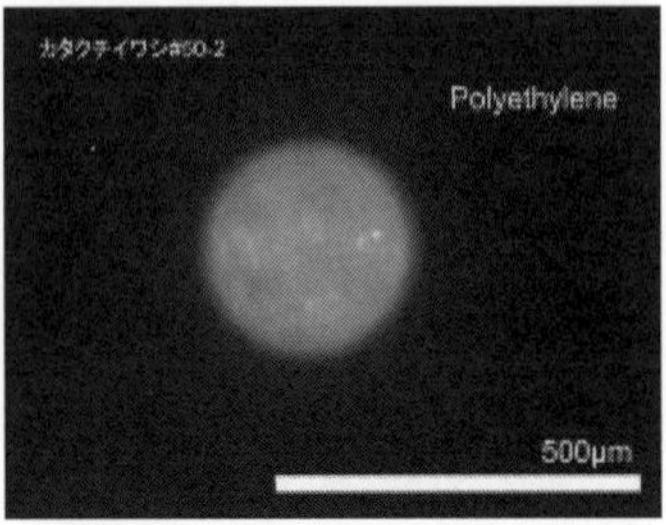

東京湾のカタクチイワシの消化管の中から出てきたマイクロビーズ。写真提供：高田秀重

ということになってしまうだろう。言われてみれば、容易に想像はついた。

そして、レジンペレットのうち、特にポリエチレンやポリプロピレンでできたものは、比重が軽く水に浮かぶので、水路、河川を通って、海に至ると、表層を漂うことになる。海上輸送中にコンテナごと落下事故を起こした場合は、直接的に海に大量投入されてしまう。それらの一部が、海岸に打ち上げられて、ごく普通に見つかるのが現状なのだそうだ。

ひとつ注意しておきたいのは、これらは外に出た段階で、すでに「マイクロプラスチック」だということだ。「一次的マイクロプラスチック」という言い方もあり、洗顔料・歯磨き粉に使われるスクラブ剤（目に見えないほど小さいので、マイクロビーズと呼ばれることもある）もまさにそうだ。

本稿では、環境中で小さくなる「二次的マイクロプラスチック」を中心に話を進めているが、「一次的マイクロプラスチック」も、起源が違うだけでやはり深刻な海のプラスチック汚染のサブジャンルだ。世界的にも注目されており、化粧品などにスクラブ剤を使わないようにする規制はあちこちで行われるようになっている。

そして、レジンペレットは、本当に世界中であまねくみつかることや、封筒などに入れて送りやすいことなどから、地球規模のモニタリングに適している。高田さんたちの「インターナショナル・ペレットウォッチ」が大切になってくる所以《ゆえん》だ。

## 生き物の体内からも見つかる

話をもとに戻す。

プラスチックが見つかる場所が広がり、それらが「マイクロ化」している現況も把握された頃から、生物にどれだけ取り込まれているかという報告が相次いで寄せられるようになった。小さなものだから、そのまま体内に入ってしまうケースが想定され、実際に探してみたら、つぎつぎと見つかるようになった。

「二〇世紀には、比較的大きな動物、クジラであるとかウミガメからプラスチックが見つかっていたわけですが、少しずつ小さな動物でも見つかっていきます。たとえば、亜南極オーストラリアのマッコーリー島で、オットセイが食べているものを見るためにフンを観察していたら、魚の骨じゃなくてプラスチックがあったと。これが二〇〇〇年代の初め頃です。同

**全ての個体の消化管内からプラスチックが検出された**

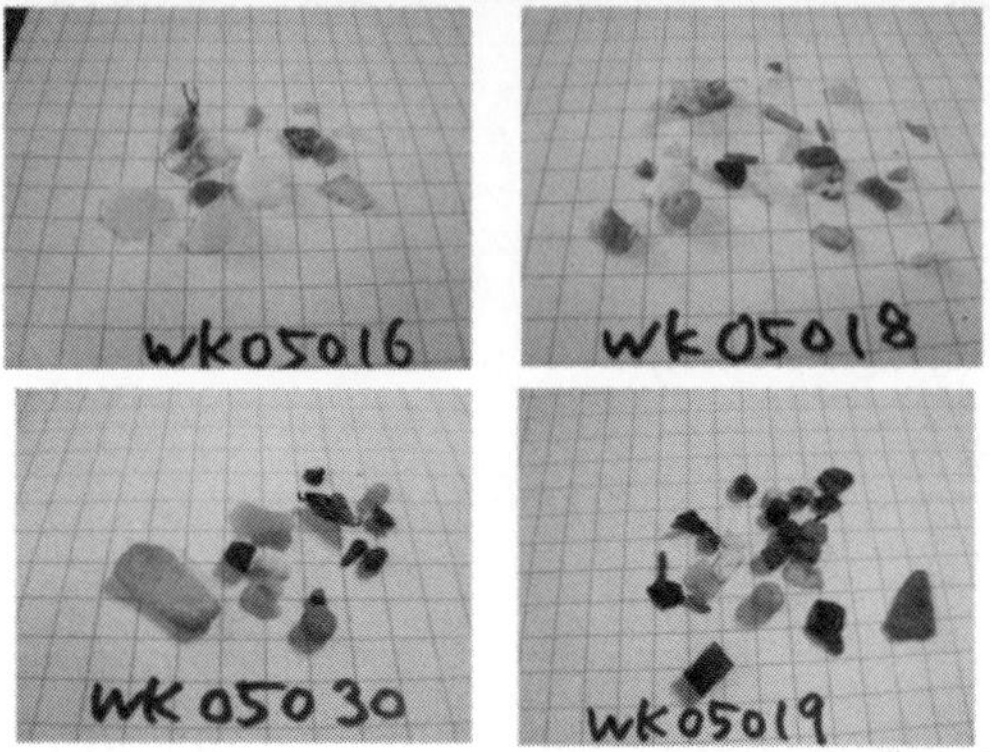


0.1g－0.6g

ベーリング海のハシボソミズナギドリを調べたところ、12個体のすべての消化管から0.1 ～0.6グラムのプラスチックが検出された。写真提供：高田秀重

時期に、ミッドウェー島のアホウドリでも見つかりました。私たちも北海道大学の綿《わた》貫《ぬき》豊教授との共同研究で、ハシボソミズナギドリという渡り鳥の消化管の中にマイクロプラスチックがあるのを確認しています。この鳥は、南はタスマニアから、北はベーリング海まで、赤道を越えて渡りをする希少な海鳥で、汚染物質の影響も受けやすい鳥になるわけです。そして、今ではカタクチイワシですとか二枚貝からも見つかるようになっています」

　日本の周辺海域についてのマイクロプラスチックの現状把握は、二〇一四年に環境省が行っている。プランクトンネットを船で引っ張ってサンプリングしてまわった結果、一平方キロメートルにつき、一七二万個のマイクロプラスチックが浮遊しているという結果を得た。これは北太平洋の平均の一六倍、世界の海の平均の二七倍だという。ぼくたちはマイクロプラスチックのホットスポットに囲まれて暮らしている。

## フィールドを駆けめぐる

マイクロプラスチック問題をめぐる大きな流れを見てきた。

高田さんは九〇年代からこの流れの中で研究をし続けてきたわけだが、具体的にその研究はどんなふうに行われるのだろうか。大学にお邪魔しているわけだから、その点についても見せていただかない手はない。

まず、よくある「化学者のイメージ」とはどんなものだろう。ぼくの頭にぱっと浮かぶのは「白衣に試験管」や「白衣にフラスコ」といった姿だ。これはステレオタイプな「サイエンティスト像」そのものかもしれない。ネットで利用できる写真素材提供サービスなどを見ていても、「科学者」のカテゴリーにこういった写真やイラストがふんだんに用意されている。化学者は、「科学者代表」のような存在としてイメージされるらしい。

ところが、高田さんの研究は、そんなステレオタイプとは別のところから始まる。

東京湾で堆積物コアを採取する高田さんとそのチーム。
写真提供：高田秀重

始まりは、常にフィールド。「現場百遍」を合言葉に、みずから現場でサンプルを取得するのが流儀なのである。日本だけではなく、ベトナム、ラオス、カンボジア、マレーシア、インド、ガーナ、ケニア、南アフリカ、モザンビークなど、世界中のあちこちに自ら足を運び、サンプルを取得してくる。その行動範囲は、とても広い。

ここでは、最も身近なフィールドの一つである東京湾の海底の泥を採取するところから始める。

「二年に一回ぐらいですが、東京海洋大学の船で東京湾の底の泥、堆積物コアを採取しています。内径一一センチのパイプに、一枚十数キロのおもりを二つつけて、船の上からゆっくりとワイヤーを使って海の底に落とすと、パイプが海底に突き刺さります。パイプには逆流防止の弁がついているので、中に入った堆積物を引き上げることができます。東京湾は、場所によりますが、平均で一年に一センチずつぐらい泥が積もっていきます。ですので、一メートルとれたとすると、まあ一〇〇年分ぐらい。それを船の上でスライスするんです。下から棒で突き上げて、上に出てきたものを二、三センチごとに切り分けていきます」

揺れる船上で、これはかなり熟練とチームワークが必要な作業だ。一センチで一年、一メートルで一〇〇年。堆積コアに詰まった情報をダメにしないように、六人がかりくらいで慎重に作業を進める。

その時、高田さんは、採取した現場の様子を自分の目や鼻、耳などで感じて頭に刻み込んでおくことを推奨する。よそからサンプルをもらって分析をするのでなく、自分で取りに行く、というのはそういうことだ。

「「現場百遍」というのは、もともと新聞記者だった父の言葉だったんです。新聞記者は現場に何度も足を運び、資料の背景にあるものを見出《みいだ》そうとしますよね。環境汚染の化学もそれと似ていて、現場で感じた匂い、見えていたもの、聞こえていたものが大事です。のちのち試料を分析して汚染物質を見つけた時などに、その原因をさぐる重要なヒントになりますから」

## ラボでの緻密な分析作業

さて、現場の様子を胸に刻みつつ、無事にサンプルを入手したら、そこから先は東京都府中市にある東京農工大に戻り、白衣の化学者としての作業に入る。東京湾の堆積コアの場合、大きく分けて二段階の分析があると考えてよい。

「まず泥の中に含まれているマイクロプラスチックを見分けなければなりません。一ミリ以下のものですので、拡大鏡で見なければ分からないレベルです。東京湾の場合、多い場合ですと、泥一〇グラムにつき、四〇個程度のプラスチック片が入っています。つまり、一握りの泥に、数十個です。まずは自分の目で見て、これはプラスチックかもしれないというものを判別し、その後で分析機械にかけて、どういうプラスチックか調べます」

サンプルの泥から自動的にプラスチック片を分離できるような機械があるのかと思っていたのだが、最初の段階では人間の目が頼りだそうだ。その上で本当にプラスチックかどうか、だとしたらどのような種類かを判別する分析機械にかける。赤外顕微鏡と呼ばれるもので、ごく小さな物であっても、そこに赤外線をあてて反射を見ることで、どんな物質なのか判別できる。物質によって、光のどの波長を吸収するのかパターンが決まっていることを利用する。

これで、混じり込んでいたプラスチック片の数や種類が分かった。

今度は別の部屋に移り、泥の中に入っている化学物質を抽出する。有機溶媒のアセトンに溶け込ませた試料を「ガスクロマトグラフ／質量選択検出器」という分析機械で、まず個々の化学物質ごとに分離し（ガスクロマトグラフ）、それぞれがどういう物質なのか判別する（質量選択検出器）。たくさんの試料を同時進行、かつオートで分析できるすぐれものだ。

なお、ここで、「泥の中の化学物質」を測定していることに違和感を持った人もいるかもしれない。堆積物全体の傾向を見るには、泥全体の測定は間違いなく必要だが、泥の中でも特にマイクロプラスチックにどれだけ吸着しているかが、この話の焦点なのだから。

「海底の堆積物の中に入っているマイクロプラスチックは、とても細かくて、取り出すのが難しいんです。海水から回収したマイクロプラスチックや、海岸の砂の中のレジンペレットなら、ピンセットでひとつひとつ取り出して一〇〇粒ほど集めて、まとめて化学物質を測ることができます。でも、海底の泥はそれができない。取り出すには、化学的な前処理が必要になって、そうすると付着していた化学物質も変化してしまいます。また、海底の泥の中には、プランクトンの糞《ふん》や死骸などからなる粒子もあって、そちらにも化学物質が吸着するので、今のところは一緒に測っているんです。それでも、直接、マイクロプラスチックだけを測定したいので、今後五年くらいのプロジェクトの中で、海底の泥の中の小さなマイクロプラスチックを取り出す方法を開発することになっています」

さて、こういった分析は、とてもシステマティックで、書いてしまうと、あたかも一日ですべてできるような印象を与えることがある。でも、実際には前処理に時間がかかったり、ひとつひとつの作業が実はとても大変だったりするため、かなりの時間が費やされる。海底の泥の分析の場合、一つのサンプルの分析を開始してから、最終的に汚染物質の種類や量が確定できるまで一週間くらいはゆうにかかるそうだ。ましてや、堆積コアをまるまる見るとなると、二人で作業しても一年くらいの大仕事になる。

そして、そのような過程を経て、やっと東京湾の堆積コアに隠された情報を引き出す準備が整うのだ。

## 水底の堆積コアが歴史を語る

堆積コアから読み解けることとして、まずはプラスチック汚染が時代とともにどう変わってきたか。

「東京湾の堆積コアではコアの下の方から上の方へ向かって、プラスチックの数が増えていきます。つまり、過去から現在に向けてプラスチックの汚染は進んでいることが分かります。ただ、東京湾は底引き網で海底がかき混ぜられることがあるので、そのプラスチックがいつ

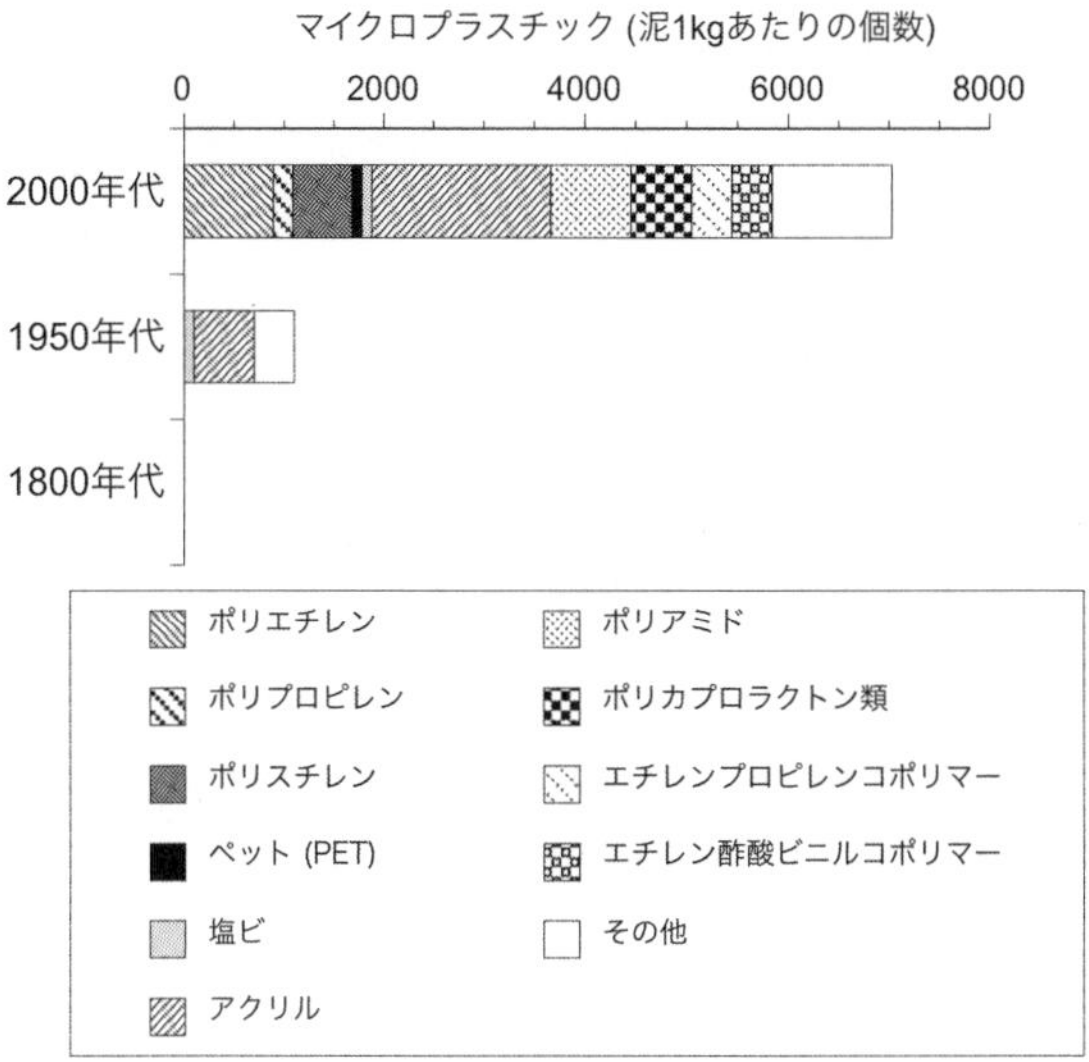


桜田濠のマイクロプラスチックの年代別個数。表層に向けて個数が増加する傾向が見られる。画像提供：高田秀重

たまったものなのか正確に分かりません。そこで水底が人によってかき混ぜられない皇居の桜田濠《ぼり》で調査をしました。これと合わせてみるとさらに傾向がはっきりします。桜田濠の一番下の層は江戸時代に相当しますが、プラスチックは見つかりません。一九五〇年に相当するあたりから少しずつプラスチックが出てきて、二〇〇〇年くらいだと最初の頃の一〇倍くらいに量が増えています」

　こういうふうに年月とともにどんどんプラスチックが増える現象を、高田さんたちは、東京だけでなく、南アフリカのダーバン港、ベトナム

南アフリカ、ダーバンのダーバン港で堆積物を採取する高田さん。写真提供：高田秀重

のトンキン湾、タイのタイランド湾でも確かめた。マイクロプラスチック汚染が、二〇世紀から始まった世界的な現象であることは、もう疑いの余地がない。

さらに、泥の中の有害物質の変化も追うことができる。

「注目してほしいのがＰＣＢです。ＰＣＢは一九五〇～六〇年代の高度経済成長期に工業用の油として広く使われていたわけですが、一九七〇年代の初めに毒性を持っていることが明らかになって、今は使用が禁止されています。ですので、コアの中のＰＣＢは、一九五〇年代にあらわれて徐々に濃度が上がり、一九七〇年代にピークになった後で、減っていきます。これは、ＰＣＢの使用の歴史をよく反映しています。ところが、使われなくなった後も、決してゼロにはならないんです。ピークは表面から二五センチくらいのところですが、海底がかき混ぜられるとまた表面に出てきてしまいます。こういうのを「レガシー汚染」と言います」

一度、放出してしまったら長い間、付き合わざるを得なくなる事例だ。

ここでふと思ったのだが、こういうふうに自然界にないものが突然現れ、ピークの時期もはっきりしている場合、いわゆる「示準化石」のように使えるのではないだろうか。東京湾で一センチ一年というふうに分かるのは、そもそもなにか目印となるようなものがないといけないわけだし、きっとそういうことなのだろう、とも。

「あ、もちろん、そうですよ。化学化石と私たちは呼んでいるんですけど、まさに化学化石を使って年代を特定してやっています。ＰＣＢがちょっと出始めたところを一九五四年というふうに決定できます」

ガーナの首都アクラの砂浜でマイクロプラスチックを採取。この地点は世界的に問題となっている電子機器廃棄処理場（Agbogbloshie e-waste）の下流に位置し、プラスチックから高濃度のPCBが検出された。
写真提供：高田秀重

化学化石という言葉は、まさに言い得て妙である。今は海底の泥の状態だが、安定した環境でどんどん堆積していけば、いずれ圧縮されて泥岩になる。もしも、将来、それが地層として陸上に出てくるようなことがあれば、その時代の地質学者は、泥岩層の中からマイクロプラスチックの微化石を見つけることになるだろう。

なお、これと関連して、地質学の専門家の間でも、「一九五〇年代以降」という時代について、これまでとは違う受け止め方をしようという動きがあることを指摘しておく。従来の考え方では、最終氷期が終わった約一万年前から現在までを「第四紀完新世」としてきた。しかし、一九五〇年代以降、人間の活動の影響がきわめて強くなったことから、「人新世」を新たに設けるべきではないかという議論が力を得ている。その際、マイクロプラスチックや、PCBは、大気中核実験の痕跡などとあわせて、まさに人新世に特徴的な「化石」になる。

荒川の河口部のプラスチックごみ。写真提供：高田秀重

## あらためて、健康への影響を考える

マイクロプラスチックによる海の汚染は、今注目される環境問題というだけでなく、人類史どころか、地球史上にも刻み込まれるであろう事象だ。

ことの大きさに戸惑うばかりだが、そこで、知っておかなければならないのは、「ぼくたち」がどんな影響を受けるかということだ。マイクロプラスチックが世界中に広がっている現実は、単純に考えても、気持ちがよいことではない。しかし、それだけならば単に「美的な感覚」にすぎないだろう。

最大の論点は、健康への影響だ。マイクロプラスチックが世界にあふれるのを放置したら、どんな健康被害が想定されるのか、あらためて聞こう。

「まず、人間というより、生物への影響ですが、二つの側面があると思います。プラスチック自体が物理的異物であることによる影響が一つ目。二つ目は、添加剤やプラスチックに吸着した化学物質による影響です」

それぞれ、見ていく。

「まず、物理的な面ですが、小さな生物については、マイクロプラスチックが物理的異物として働く（粒子毒性）可能性がまず考えられます。ポリスチレン微粒子の曝露《ばくろ》により牡蠣《かき》の再生産能力が低下したりすることが報告されていますし、ナノサイズ（二〇ナノ）のプラスチックが細胞膜を通過して生物組織へダメージを与えることも示唆されています」

ナノサイズのプラスチック！　マイクロプラスチックはミリサイズのものが最初に認識されたわけだが、現在ではもっと小さなナノサイズのものを考慮しなければならないところまで来ている。

「化学的には、メダカに汚染物質が吸着したマイクロプラスチックを砕いて与えると、メダカの肝機能に障害が出たり、肝臓に腫瘍ができるというようなことが実験的に確かめられています。野生でも、プラスチックを摂食した生物体内への有害化学物質の移行が懸念されていて、ベーリング海のハシボソミズナギドリの脂肪にＰＣＢなどが蓄積されているのが確認されました」

メダカの実験は、アメリカのサンディエゴの港に三カ月漬けておいて汚染物質を吸着させたレジンペレットをさらに細かく砕いてメダカに与えたそうだ。サンディエゴのような大都市の港の水はそれなりに汚染されていると考えられるが、レジンペレットはさらにその汚染物質を吸着して濃縮したような状態になっているらしい。

## すでに被害は起きているかもしれない？

ここで気をつけなければならないのは、こういったことの多くが、あくまで実験室内での結果であり、現在の環境中で想定されるマイクロプラスチックの曝露よりもはるかに高いレベルの汚染にさらされた上で起きているということだ。また、動物実験、細胞実験で見られた有害性が、人間の健康問題としては観察できないというのはよくある話で、実際に人間にとって有害かどうかは人間社会での疫学調査で判断する必要がある。そのあたりはどうなのだろう。

「昔の水俣《みなまた》病やカネミ油症のように急性毒性的な反応が出るわけではないでしょう。むしろ、ゆっくりと慢性的なものとして問題が起きてくるかもしれないということです。いや、もう既に問題が起こっているのかもしれないと思っています。例えばガンになるリスクがいくらか高まるとか、免疫力が下がるとか、全体の問題として人々の健康が損なわれていたとしても、なかなか因果関係を見出しにくいし、この化学物質が影響していますと特定しにくいんです」

もしも、手っ取り早く結論を知りたければ、人間の被験者にマイクロプラスチックを食べてもらうランダム割付実験をすればいい。しかし、それは非倫理的なので決してやってはいけないことだ。だから、あくまで社会の中で人間集団の観察をすることになる。適切な対照群を見つけて、どの程度リスクが高いのか、あるいは低いのか、もしも、リスクが高い場合は、寄与割合はどれくらいなのかなどと、疫学の方法論で因果推論していくことになる。

高田さんが、「既に問題が起こっているかもしれない」というのには、訳がある。マイクロプラスチックを通じて生体内に運ばれるかもしれない化学物質のいくつかは、内分泌撹乱物質、いわゆる環境ホルモンだ。九〇年代に話題になった頃には、体に入るとたちどころに影響があるかのような騒がれ方をしたけれど、そこまで極端なことではないにしても、ひょっとするとじわじわと効いているかもしれないという議論がある。

「ヨーロッパでは、成人男子の精子数を調べる疫学調査が大規模に行われていて、それによると近年かなり精子数の減少が起こっているといわれています。ただ、それが何によるのか、因果関係は分かっていません。でも、内分泌撹乱物質、環境ホルモンがいろんなところでプラスチックとして使われており、僕たちがあんまり意識せずにそういうもので飲食をとっているということと関係あるかもしれない。飲食の際に直接そのような環境ホルモンが身体に入ってこなくても、微細化したプラスチックから環境ホルモンが溶け出し魚貝類にたまり、それがまわりまわって我々の身体に入ってきている可能性もあります。さらに、同じことが

海洋漂流プラスチックから検出される有害化学物質

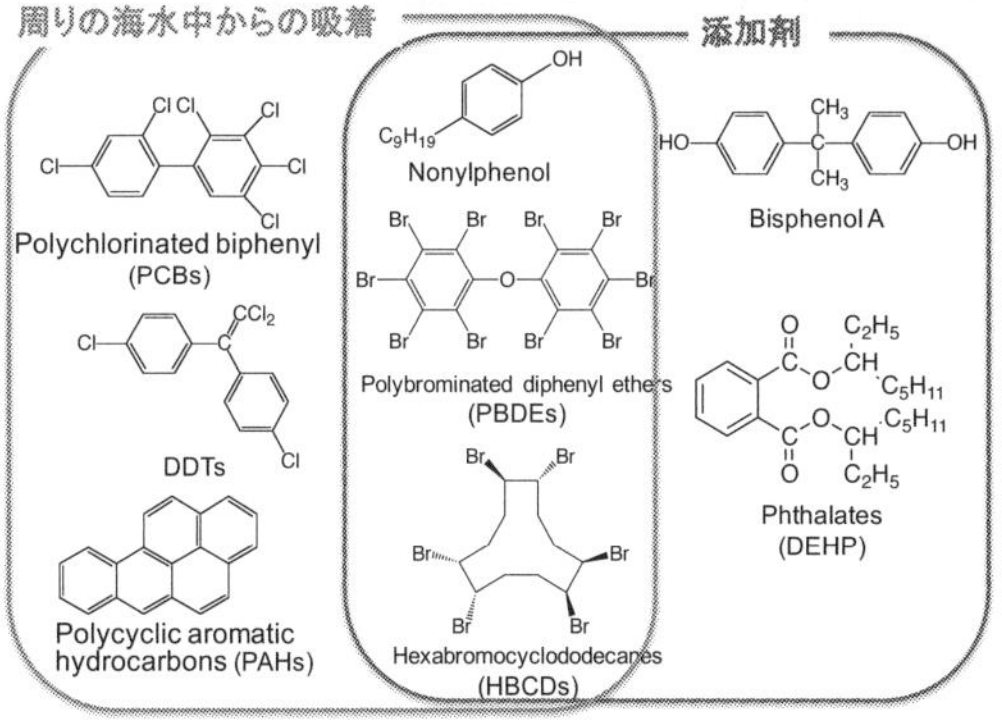


海のプラスチックゴミから検出される代表的な化学物質。海中の添加剤の量は、プラスチックが増えれば当然増える。また、ある範囲内に限れば、汚染物質の量はプラスチックが増えても変わらないが、プラスチックがあることで、汚染度が低く生物が多い遠隔地へ運ばれたり、海底に沈んでいた汚染物質を海中へ戻したりして、人間への影響が拡大する可能性が懸念されている。画像提供：高田秀重

マイクロプラスチックに吸着された物質でも起こっていたり、起こっていくことが心配されているんです。プラスチックが微細化することにより、有害な化学物質を人間の身体に運び込む量が増えることがマイクロプラスチックの問題なのです」

結局、健康被害の直接証拠はない。けれど、かなり実験室レベルでの知見が蓄積され、有害物質の生体（海鳥など）への蓄積も確認されて、黒に近い灰色になってきている。

**野生の海鳥では「黒」に近づく**

さらに最近、野生の海鳥で、気にな

る報告があった。

「海鳥の場合、灰色というよりさらに黒に近づいていると思っています。アカアシミズナギドリという鳥で、プラスチック摂食が多いほど、血液中のカルシウム濃度が低くなり、コレステロール濃度が高いという結果が報告されました。カルシウム濃度が低くなれば、卵の殻が薄くなり、孵化《ふか》率が下がり、種の絶滅にもつながりかねません。血液検査での異常とは、健康被害の一歩手前です。人間で考えても、健康診断で血液中のコレステロール濃度が高い結果が出たら、病気につながるものだと考えて、食事を見直したり対策をとりますよね」

鳥の血中のカルシウム濃度が低くなって卵の殻が薄くなるというのは、世界的によく知られた事例がある。一九六〇年代にアメリカの生物学者レイチェル・カーソンが『沈黙の春』で、人工的な化学物質が自然界で生き物の中に蓄積され、食物連鎖の中で濃縮されていくことに警鐘を鳴らした。そして、当時、農薬として使われていたＤＤＴという化学物質が生物濃縮された結果、アメリカの国鳥で絶滅危惧種のハクトウワシの卵殻が薄くなり、個体数が激減していることも分かった。それが契機になり、ＤＤＴの使用は国際的に禁止された。これは、ほかの化学物質、例えばＰＣＢの使用禁止などに先駆けるものだった。

現在のプラスチック摂食で、海鳥たちはかつてのハクトウワシなどと同じような苦境に立たされるかもしれない。アカアシミズナギドリは今のところ個体数が多く絶滅は心配されていないものの、絶滅危惧種の海鳥はいくらだっている。

そして、人間も海鳥と同じ海の幸を食べ、いわば食物連鎖の頂点にいるわけだから「他人事」ではない。今後、二〇年間、マイクロプラスチック問題を放置すれば、海に流れ込んだプラスチックの量はトータルで一〇倍にもなるという試算もあり、ぼくたちが口にするものの中に紛れ込んだマイクロプラスチックはさらに増えるだろう。

## ペットボトルにマイクロプラスチック?

なお、健康への影響が心配なマイクロプラスチック汚染として、近年、ペットボトルの飲料水にマイクロプラスチックが混入しているという研究が発表されて話題になった。

それによると、九つの国からサンプルされた二五九個のペットボトル飲料水のうち、九三%からマイクロプラスチックが見つかったという。平均すると〇・一ミリメートルを超えるものは一リットルあたり一〇個ほど。それ以下のものは三二五個。この報告を受けて、世界保健機関(WHO)が検証に乗り出している。

かなり憂慮すべき事態なのだろうか。

「これについては、結果自体正しいのかどうか、専門家の間でも意見が分かれています。測定の途中での汚染も結構起こりやすいんじゃないかということがありまして。同じグループが、水道水に化繊の繊維が入っているという報告もしているんですが、そういうのは室内にも漂っていますから、相当慎重に容器も含めて取り扱わなければなりません。だから、これも論争中です。僕が思うのは、ペットボトルにはもしかしたら本当に小さなプラスチック破片が入っているのかもしれないけど、それを心配するなら、全体がプラスチックでつくられているものに入っている水を飲むこと自体、まず心配されたほうがいいんじゃないですか」

ということである。

## 減らすことから始めよう

マイクロプラスチックによる海洋汚染が、人間の健康に影響するのかしないのか。

決定的な証拠はないものの、かなり怪しいことは間違いなく、今、国際社会は予防原則に則《のっと》った行動を取ろうとしている。

ただし、確実な証拠がない状態で、なにからなにまで「予防」しようとすると人間の生活そのものがまわらなくなる可能性すらあるように思う。では、どんな場合、「予防原則を適用！」ということになるのだろう。前から気になっていたことでもあって、この点を尋ねた。

「実験的に有害性が確認されて、環境中にその物質があって、確実に残留している場合。さらに、何も手を打たなければそのレベルが上がってくると予測される場合に予防原則を適用することになります。マイクロプラスチックは、ひとたび細かくなって海に出てしまうともうすくって取り除くことすらできませんし、海の表面では数十年ぐらい、海底に沈んだものも含めて考えると、それこそ一〇〇年、数百年残り続けるかもしれない。だから、出す前に止めるようにしなければということで、予防的な動きが始まっているんです。この点について、行政的な対応としてはもう国際的なコンセンサスになっています」

前にも述べた通り、高田さんは二〇一七年六月の国連海洋会議の分科会で基調講演を行った。その背景にあるのが、まさにこういう文脈なのだ。

「持続可能な開発目標の中の一四番目の目標「持続可能な開発のために海洋・海洋資源を保全し、持続可能な形で利用する」を促進するために開かれるのが、国連海洋会議です。ニューヨークの国連本部で行われています。今では、マイクロプラスチック、海洋プラスチック汚染が海洋の持続的利用を阻害する大きな要因だと認識されていて、マイクロプラスチック対策を実行すべきであると呼びかけています。対策としては3R、リデュース、リユース、リサイクルが重要だと強調されていて、僕が基調講演で強調したのは、特にリデュース、削減が大事だということでした」

国連が掲げる「一七の持続可能な開発目標」（いわゆるSDGs）は、その名の通り一七も目標が掲げられていて、海洋にまつわるのは一四番目だ。マイクロプラスチック問題は、ここでは「持続的利用を阻害するもの」と位置づけられている。

また、「3R」（リデュース〔削減〕、リユース〔繰り返し使う〕、リサイクル〔資源として再利用する〕）は、どれも大事に思えるのだが、なぜまず、リデュースを強調するのだろうか。

「プラスチックのゴミが発生している時に、それを処理する技術を開発していくのは大事ですが、まずは発生させないようにするのが基本だと思うんです。地球上あるいは社会の中でのものの流れをきちんと考えて、プラスチックのゴミが発生しないような仕組みをつくっていく。まさにプラスチックをできるだけ避けていくということを初めにやる。それでも駄目なものは処理していくということが必要だろうなと考えています。アインシュタインも言ったそうです。ワイズパーソン、賢い人は問題をアボイドする、問題を避けると」

## レジ袋規制が必要なわけ

３Ｒの中で、リデュースが大事だということについては専門家の間でもまったく異論はなく、国連海洋会議では、これまでの「使い捨てプラスチック」という一般的な表現から一歩踏み込んで、「レジ袋規制」が呼びかけられた。

なぜ、レジ袋なのか。それには、ちゃんとした理由がある。

「プラスチックゴミのボリュームゾーンとしては、やっぱり使い捨てのものです。環境中に出ていくものの中の大体四〇％ぐらい、あるいはそれ以上が、使い捨てのプラスチックだとされています。そこで、レジ袋や食品包装を規制したら、汚染が激減したという報告も出てきました。例えばアイルランド、それからイスラエルやカリブ海諸国等で、レジ袋禁止の法律ができたり、いろんな規制を行うことで、海岸に漂着するレジ袋の量が八割から九割減ったそうです。これらは、二〇一八年の学会で報告がありました。やっぱりマイクロプラスチックが発生する大元を断っていけば、海の汚染は減らすことができるというふうに意を強くしました」

スーパーやコンビニでもらうレジ袋。あるいは、食べ物が入っている容器や包装。ああいったものが「ボリュームゾーン」だったとは！

ぼくは何年か前にアフリカのルワンダを訪ねた際、一切、レジ袋を使わず徹底的に紙袋を使っていたのに驚いた。たまたま手荷物の中に、日本の空港で買った歯ブラシが入ったままのレジ袋があったのだが、入国前にそれすら回収される徹底ぶりだった。ルワンダは世界を先取りした施策を取っていたのだと、その時には気づかなかったのだが、今にしてみると非常に納得感がある。

とにかく、レジ袋や、食べ物の容器などを規制するだけで、汚染が激減する。それは希望が持てる話だ。たとえば、大量に消費する電力を減らしたいと思った時、家庭の照明をすべてLEDにして消費電力を抑えたとしても、産業用に使われる電力に比べると微々たるもので、焼け石に水のような効果しかないのとは違う。マイクロプラスチックの問題は、消費者一人ひとりの行動や消費に密着した施策が、かなり効いてくるかもしれない。

## 循環型経済の中に組み込む

さらに高田さんは、「その先」を構想する。

「リデュースした先、どうしても残ってしまうものについては、燃やしてエネルギーを回収するという考えもあります。日本では現状、そうなっています。でも、私は燃やさないソリューションもあると思っています。というのも、プラスチックを高温で効率よく燃やして汚染物質を出さないようにしても、かならず二酸化炭素や窒素酸化物のNOxは出てくるわけです。それが実は地球規模での元素の循環に影響を与えます。二酸化炭素については、いったん化石燃料として地下に封じ込められていた炭素を放つわけですから、現在の炭素循環の外からもたらされた純粋な増加分になって、地球温暖化に直結します。窒素酸化物も窒素循環に影響を与えていて、赤潮や青潮が起こりやすくなったり、地下水の硝酸塩汚染の原因にもなるんです。でも、日本では、効率のいい焼却炉をつくって燃やせばうまく行くと思っている方が多いんです」

しかし、燃やさないとなるといったいどうすればいいのだろう。ぼくの頭の中でも燃やすのが当たり前すぎてちょっと戸惑う。

「バイオマスから作った生分解性プラスチックを使って、使った後は堆肥化するのが一つの方法です。流通の仕組み、あとは包装の仕組みも考えていくということで、大きな話になるんですが、それを今からやらないと手おくれになりますので。現時点ではこういうことを議論するのは、国内では環境省なんですけど、そろそろ経産省も含めたもっと大きな枠組みで、プラスチックを循環型経済の中に組み込んでいく流れにしなければと思います」

高田さんは、最近、あるメーカーがデンプンから作ったという試作品の生分解性プラスチックシートを見せてくれた。ちょっとごわっとしていたが、十分な強度を持ったプラスチックの手触りだった。こういったものが普及すれば、従来よりは多少性能は悪くとも、十分、代替になるのは分かる。

ただ、気になることがある。生分解性のプラスチックは、バイオマス、主に植物から作ることを想定しているわけで、はたして、結果的に、今度は森林問題や農業の問題を引き起こすことにつながらないだろうか。

「それがですね、使い切れていないバイオマスの資源として、セルロースがかなりポテンシャルがあるんです。例えば、トウモロコシの茎ですとか、食料生産を圧迫しないものに注目して進めていけば、食料生産とはぶつからないようにできると思います。木を使うのであれば、森林破壊にならないように、使う量を考え、植林もしなければならない。そして、利用後にちゃんと堆肥化して農地に戻せば、物質循環もぐるりとまわり、温暖化ガスは出さずにすむわけです」

というわけで、高田さんの頭の中には、新しい時代の循環型経済まで思い描かれている。構想の力強さに感じ入ることしきりだった。

## 「水質探偵」としてのスタート

マイクロプラスチック汚染から始まり、循環経済をめぐる将来ビジョンまで、ずいぶん遠いところまで来た。

最後に高田さんがどうやってこの世界に入ってきて、どんなふうに研究に取り組み、今に至るのか聞いておきたい。決して、プラスチック問題だけではない広がりを持つ「環境汚染の化学」と、高田さんはどんなふうに出会い、フィールドと実験室を行き来するスタイルを深めてきたのか。

「東京の中高一貫の学校で化学部に入っていたんですけど、実験室の中で実験するよりは野外に出るのが好きだったんです。山登りをするようなアウトドア派というわけではなかったんですが、多摩川の水質検査に参加したら面白くて、それをずっとやっていました。自分でフィールドに行ってサンプルをとってきて、実験室で測ると結果が出てきて、現場の様子とその得た結果をあわせて考えると、何か面白いなと思っていました」

子どもの頃から野山を駆け回っていたようなタイプではなく、中高生の時に部活動でフィールドデビューした。「現場の様子と実験室で得た結果をあわせて考える」とは、「現場百遍」を合言葉にする高田さんにとってその後ずっと鍵となる思考の深め方だが、その萌芽は中高生の頃だった。

「多摩川の水をサンプリングした時に、臭いがひどかったとします。で、測ってみると、確かにその臭いの原因になるような有機物が多いと分かって謎が解けるわけです。あるいは、サンプルを分析したら、わずかな距離しか離れていないところから取ってきたのに片方は汚れていて、片方はきれいだったとします。では、その間に排水が入ってきているはずだと細かく調査してみると、やっぱり排水口があったり。そういうところに面白さを感じて、こういう水質調査、環境の研究をやっている大学に進みたいなと思ったんです」

この話を伺った時にぼくの頭に浮かんだ言葉は「水質探偵」だ。化学的な分析の方法を手にして、川の水質にまつわる謎を解く。きちんと調べると謎は解ける。そういうことを面白いと感じる人たちはかなりいると思う。

「進学したのは東京都立大学です。当時、都立大にいらした半谷《はんや》高久先生の著作『水質調査法』を読んで、これだと思いまして。それで、半谷先生の研究室に入って、同じ研究室の石渡良志先生にやってみないかと言われたのが東京湾の調査です。海底の泥を試料にして、ある化学物質の分析法を開発するのが目的だったんですが、その途中で新しい汚染物質を見つけました。アルキルベンゼンといって、合成洗剤の中に入っている成分です。これが一つの研究的な原点です。僕にとっては卒業論文の研究だったんですが、修士一年の時、一九八三年に『Nature』に掲載されました。他の研究者と競争みたいになったので、当時、英語の論文を書いたことがなかった僕のかわりに、石渡先生が急いで執筆したんですが」

学部時代の研究で、世界の最高峰の学術誌『Nature』に掲載される成果を挙げるとは！これはかなりレアなことではないだろうか。また、この時点で、高田さんは東京湾で堆積コアを採取して分析する、のちにつながる研究を始めていたというのも感慨深い。

ここまで聞いてふと気になった。川の汚染についても、海の底の泥の汚染についても、研究をする上で、なかなかスカッとした喜びに繋《つな》がりにくいのではないか、と。もちろん、意外なところから新しい汚染物質を見つけたりする「発見の喜び」はあるだろう。でも、発見しても歓迎されるような物質ではないから、やはり手放しでは喜べない……。

そこで、ちょっと失礼かと思いつつも、高田さんに「モチベーション」について聞いてみた。高田さんは遠くを見るような仕草の後で、こんなふうに答えてくれた。

「アルキルベンゼンを見つけた時の研究ですが、東京湾なんで、そんな大きな湾ではないんですけど、真ん中に行けば当然、天候次第で陸が見えないようなところがあります。それなのに陸上で僕らが使ったものがここの泥の中にあるのが非常に不思議だと感じました。研究者としては素朴な感想ですけど、そんなふうに思ったのが、その後も続けている動機ですかね。目で見ても、そこに人間活動の影響はなさそうなところで何かサンプルをとって、それを研究室に持っていって測ってみると、そこから影響が読み取れると。採取したものから出てくる信号が何かを僕らに語っているのかもしれないと感じることができるんです。それが私たちのやっている研究のモチベーションかなと思います」

中高生時代、多摩川の現場と実験室の間で感じた喜びと通底するものを感じる。自分が立っている場所についての感覚と「化学的な手法を通じて受け取るメッセージ」がひとつながりになる時に喜びがある、と。これは、やはり、探偵のような謎解きの喜びに近いのかもしれない。

「僕ら人類は化学物質をこれまでに一億種以上つくってきたわけなんです。汚染が問題だと言われながらも、今も増えています。それらは僕らの暮らしを快適で衛生的なものにして、長生きできるようにするために使われているわけで、なくせるわけもありません。つまり、共存していくために、それらを常に監視していく必要があります。僕たちは、化学物質を使っていくのに必要な、環境の側での監視人なんだろうなと位置づけています。それでも、ですね、研究の中で喜びを感じる瞬間としては、分析機械の結果を見ていて、何も出ないと思っていたところに化学物質の存在を示すピークが出てくるような瞬間。やっぱり、それは喜びなんですよ（笑）」

使命感を持って研究をしつつ、やはり、その中で、わきたつような喜びの瞬間がある。そういうものだ。

なお、「何も出ないと思っていたところに化学物質の存在を示すピークが出てくる」というのは、まさに高田さんが学生時代に海の泥から発見したアルキルベンゼンがそうであり、また、波打ち際にあるレジンペレットからＰＣＢを始めとする様々な有害物質を見出した時もそうだ。いずれも高田さんのその後の研究を決定づける大きな意味を持っていた。

## 世界中で「下水の指標」を探す

それでは、今、高田さんは新たに何を見出そうとしているのだろうか。マイクロプラスチックの話はたくさん聞いたけれど、「環境汚染の化学」はなにもそれだけではないだろう。

「プラスチックによる環境汚染というのとは別に、もう一つ全然違うテーマに取り組んでいます。それは、プラスチックとは違って、水に溶ける人工物質による環境汚染です。我々が日常的に使うものによって起こる汚染に興味があって、特に日本を含めてアジア、それからアフリカや中東などで調査しています」

汚染物質には、水に溶けるものと溶けないものがあり、当たり前だがプラスチックは溶けない。それどころか、同じく水に溶けない他の汚染物質を吸着する機能まで持っている。一方、水に溶けてプラスチックに吸着されない汚染物質も当然ながらあって、その中でも、高田さんは生活の中で発生するタイプのものに特に関心があるという。

「今、やっているのは、下水の指標の研究です。抗生物質とか、合成甘味料、さらに、医薬品ですとか。さらには合成洗剤とか。下水っていうのは、水質の汚染の一番の発生源になるので、それがどれくらいどういうふうに広がっているかを理解することが、どの国で水の対策する上でも大事なんです。そこで、どこの国でも使える、下水の指標になるようなものを見つけようとしているんです」

たとえば川の水を取って調べた時に、下水の影響がどれだけあるか、すぐに分かる指標を探している、ということだ。いきなり、合成甘味料と言われると突飛だが、考えてみると、カロリーゼロの合成甘味料は、代謝されずに排泄されるからこそカロリーゼロなわけで、そのまま下水道を通じて川に流れ込む。また、抗生物質も実は体に取り込まれるのはごく一部で、ほとんどはそのまま排泄される。アルキルベンゼンは洗剤の中に入っており、下水特有の汚染物質かもしれない。あとは、コレステロールが腸内で変性したコプロスタノールという物質もマーカーとして有望だそうだ。

いずれにしても、下水というのは人間の生活から出るものだから、そこに注目するとその国、その場所の人々の暮らしぶりにまで肉薄することになり、興味がつきない。川の水から、その社会の成り立ちのようなものを透かし見ることにもなる。

「たとえば、合成甘味料は、日本やアメリカで使っているものは高価なものが多くて、それをマーカーにしようとしても東南アジアとかアフリカでは使えないことが分かってきました。じゃあ中南米とか中東ではどうかとかやってみて、世界中の国で使える組み合わせを探っているわけです」

なお、なぜわざわざ「下水のマーカー」が必要なのか気になった人もいるかもしれない。川が汚染されているかどうかは、昔からある指標、生物化学的酸素要求量（BOD）とか、化学的酸素要求量（COD）ではいけないのだろうか、と。

「ああ、それはですね。日本国内でもあるんですが、例えば、川の汚染があったとして、BODやCODを見るだけでは、それが養豚場や養鶏場の排水のせいなのか、下水のせいなのか、ほかの何かのせいなのか、分からないんです。でも、最近では分析技術が上がってきたので、細かいところまで測って調べて下水のマーカーを作りましょう、と。水質汚染の原因が下水だとすぐに分かれば、ストレートに対策を立てられるわけです」

高田さんの研究者としての原点であるアルキルベンゼンもマーカーの一つとして使われるかもしれず、そういう意味でも印象深かった。

## 人は子孫から大地を借りて生きている

お話を終える段になって、高田さんはこんなふうに付け加えた。

「僕らが研究している汚染物質には、水に溶けるものと溶けないものがあるというふうに話しましたが、実は共通点があるので強調させてください。つまり「残留性」です。プラスチックの関連で扱っているのは、残留性有機汚染物質ですし、水溶性汚染物質は人工甘味料、抗生物質など、いずれも残留性が高い物質です。僕の研究は、環境に出てしまうといつまでも残る残留性汚染物質についてのものなんです」

そして、背景にある思いをこんなふうに吐露してくれた。

「アメリカの先住民の言葉に、我々人は子孫から大地を借りて生きている、というものがあります。まさに僕ら人類は子孫から地球という惑星を借りて生きている存在です。人から物

「地球上に残留性の高い人工物を残さないようにしたい。そう願っているんです」

を借りたときに、汚れているけど毒ではないからいいでしょと言って返す人はいないと思います。毒かどうか分からないけど、とにかく綺麗《きれい》な状態で返すのが人としてのやり方で、これが予防原則だと思っています。プラスチックも含め我々が扱っている化学物質が毒かどうかというのはまだ完全には分かっていませんが、地球という惑星を将来の人類から借りているわけなので、残留性のあるものを残したままこの惑星を返すわけにはいきません。だからこそ、地球上に残留性の高い人工物を残さないようにしたい。そう願っているんです」

至言である。

取材を終えて、まずは自分自身のレジ袋、ペットボトルの消費の削減をさっそく始めるだけのインパクトがあった。そこから先は、公的な施策なしでは無理なので、国、自治体での議論と行動に期待して、そのような動きを強く支持する。

## 研究を志す若い人へ

高田秀重

この章を読んだ若い読者のみなさんの中には、プラスチック問題の解決のための研究を行いたいと思った人が多いと思う。プラスチックは、残留性が高いので、ごみになれば半永久的に環境を汚染し、将来の世代への負の遺産になる。燃やせば、温暖化が進み、これもみなさんの世代の問題である。深海の生物へのプラスチックの蓄積の解明、ナノプラスチックの分析法の開発、海岸のプラごみを回収するロボットの開発、セルロースからプラスチックを作る技術、生ごみと同じくらい生分解性の高いプラスチックの開発等、自然科学や技術面での研究は大事なことである。ただ、もっと大切なことは、プラごみを出さない流通の仕組みやプラスチックを使わない社会経済の枠組み作りだ。地球全体、社会全体を俯瞰した文系的な視点を持つことが必要である。本章でも述べたアインシュタインの言葉、「利口な人は問題を解決する。賢い人は問題が起こらないようにする」である。みなさんが理系の研究者を目指すのであれば、是非文系の研究者との議論を積極的に行い、全体を俯瞰する視点も身につけてほしい。利口（clever）であり、同時に賢明（wise）な視点を兼ね備えた人材、すなわちスマートな人材が二一世紀には必要である。

# ゾウとサイがあるく太古の日本

冨田幸光

## とみだ・ゆきみつ

1950年、愛知県生まれ。国立科学博物館名誉研究員。博士（Ph.D）。1973年、横浜国立大学教育学部卒業後、アリゾナ大学大学院で博士号を取得し、1981年に国立科学博物館に。2014年より現職。主に新第三紀の小型哺乳類（ウサギ類、齧歯類など）や、古第三紀の原始的な哺乳類の系統進化や古生物地理などを研究している。『新版　絶滅哺乳類図鑑』（丸善出版）、『DVD付 新版 恐竜』（小学館の図鑑 NEO）などの著書がある。

国立科学博物館（科博）は名実ともに日本の自然史系博物館の頂点に立つ存在だ。「自然史」という本当に広い分野をカバーするために、各分野の研究者たちが常勤し、通常の研究活動に加えて、常設展、特別展の企画や監修も行っている。常設展はひとたび作ってしまうと、その後、長期間、使い続けることになるが、特別展は、基本的に年に二〜三回開催されて、その時その時の旬なテーマを伝えてくれる。数年ごとに夏に開催される「恐竜展」も特別展のひとつだ。さて、冨田幸光さんは地学研究部の古生物第三研究室室長および地学研究部長をつとめ（現在は名誉研究員）、二〇一四年には特別展「太古の哺乳類展　日本の化石でたどる進化と絶滅」を開催した。野生のゾウやサイなどの巨大な哺乳類が数千万年前、数百万年前という時期に、日本列島にいたという、心躍る話だ。特にゾウについては、様々な系統のものが大陸からやってきたり、日本列島で独自の適応を果たし「ゾウの楽園」のような時代もあったという。古生物学者である冨田さんは化石から多くの情報を引き出して、かつてこの地の巨大な動物たちが闊歩《かっぽ》した時代を再現してみせる。そして、環境の変動の中で、彼らが消えていった仕組みについて語る。翻って考えると、二一世紀を生きるぼくたちにとって「環境変動」は、ぐるりと一周して今ここにあるテーマだと気付かされる。

## 日本で発掘された絶滅哺乳類化石

東京・上野にある国立科学博物館が二〇一四年の夏に開催した特別展は、絶滅動物、それも「日本で発掘された絶滅哺乳類化石」についてのものだった。

どんな哺乳類がかつての日本列島にいたのだろうかと思って特別展を訪ねると、それが実に豪華メンバーで驚かされた。ゾウ、サイ、オオツノジカなど、今の基準でいえばかなりの「大物」が目白押しで、つまり、いわゆる巨大動物相（メガファウナ）が「日本」にもあったということらしい。

想像してみよう。ちょっと郊外に出かけると、ゾウやサイやオオツノジカなどが、ゆったりと歩き、食事をしている様子。動物園でもサファリパークでもない、野生動物として！

特にゾウについては、その特別展の中で、日本におけるすべての系統を網羅して展示しており、本当にこんなにたくさんの種類がいたのかと驚かされた。

それらの中で、一番よく知られているのは、たぶんナウマンゾウだろう。長野県の野尻湖での発掘物語が小学校の教科書などでかなりの期間とりあげられていたようで、「学校で習った」という人が多い。ぼくもその一人で、「日本にいたゾウ＝ナウマンゾウ」くらいの意識だったのだが、それは勘違いもいいところだった。日本には時代ごとに多種多様なゾウがいたのである。

特別展の企画を担当した地学研究部の冨田幸光部長（当時）にお話を伺った。国立科学博物館は上野というイメージで、もちろんそれは正しいのだが、収蔵庫と研究室はつくば市にある。ガラス張りの植物園の隣の、やはりガラスを多用したモダンな建物だ。

冨田さんは化石でみる生命進化の研究者なので、ウサギやビーバーやサーベルタイガーなど、研究室には実物やキャスト（模型）で様々な動物の骨があちこちに置いてあった。哺乳類の場合は特に「歯」がポイントになるせいか、歯の化石が多かった。

そんな中、冨田さんがまず語ってくれたのは、今の日本列島から発掘される化石というのはいかなるものなのか、ということだ。今は日本列島になっているわけだが、そもそもこの形になったのはそう古い話ではないはずだ。

「二五〇〇万年くらい前に日本海が開きはじめて、一五〇〇万年くらい前に日本列島になる島々が今の場所あたりに来たんですけど、それ以前は大陸の一部だったんです。離れてすぐに今の形になったんじゃなくて、大陸から離れつつ小さな島にばらけたような状態が続いて、だんだん日本列島ができていく。大陸から離れてから動物がどんなふうに変わったかっていうのが、ひとつの大きなテーマなんです。ただ、日本の哺乳類化石の歴史は、大陸から離れるずっと前、一億二〇〇〇万年前にさかのぼることが最近の研究では分かっています。地理的な問題以前に、あるいはそれ以上に、時代の流れにともなう哺乳類の変化、つまり哺乳類全体の進化による変化を見ることがまず大事です」

今の日本で発見される最古の哺乳類化石は一億二〇〇〇万年前！　それだけの時間をかけた大進化はひとつのテーマになる。日本における独自の哺乳類進化を見つつも、哺乳類全体の進化自体をたえず見わたさなければならないということだ。

「そのあと、日本列島が出来上がってから、かなり後になりますけど、二六〇〇万年くらい前から氷河時代が来ますね。氷河期には、氷期と間氷期があって、氷期になると気温がガッと下がりますので、大陸に雪が積もり、海水準（海面）が下がるんですね。そうすると九州と朝鮮半島がくっついてしまう。あるいは東シナ海が陸化してしまう。大陸から新しい動物が入ってくる。ところが間氷期になると暖かくなって、また海水準が上がるので来なくなると。その繰り返しを過去二〇〇万年ぐらいやってるわけです。それにともなって、化石記録も変わってきます。生物進化というよりも、大陸とつながることでの変化。そういうのを見ていく、というのがもう一つの点です」

数千万年、数百万年単位の長い話と、数十万年、数万年単位の比較的短い話が、折り重なっているのが日本哺乳類の化石記録をみる時に留意しておくべきことだと理解した。

ただし、これらの間に「空白の一〇〇〇万年」のような時期があって事態を難しくしている。

「今から一六〇〇万年前ぐらいから六〇〇万年前ぐらいの間、日本でほとんど陸の哺乳類の化石記録がない時期があって、その間については、日本の哺乳類の歴史を考えようにもすごく難しいところです。まず最初は大陸と同じような動物たちがいて、その後、日本列島がもっとバラバラにばらけたような状態になって、その間にどんどん絶滅も起きていたはずなんですが、化石記録があまりありません。ただ、その前の時期と後の時期なら、時系列の変化をかなり追えます」

## 日本に最初にやってきたゾウたち

それでは、どんなゾウが日本にいて、どう変わっていったのか見ていこう。

まず、日本で見つかる最初のゾウは、ゴンフォテリウムと呼ばれるものだ。

「ちょっと話は飛びますが、今から二三〇〇万年ぐらい前にアフリカ大陸とユーラシア大陸

ステゴロフォドンの復元図。（「太古の哺乳類展」より）

がつながるんです。逆に言えば、それ以前はアフリカは島大陸だったんです。なので、ゾウはずっとアフリカの中だけで進化してきました。ところが、ユーラシアとつながったことで、アフリカにいた動物たちがユーラシアにワーッと広がり始めるんですね。その中で一番目立つ、化石記録にたくさん残っているゾウの第一号がゴンフォテリウムです。日本では岐阜県可児市から見つかっています」

ゴンフォテリウムは、オーストラリアと南極をのぞく全ての大陸に進出した汎世界的なゾウだったそうだ。現生のゾウと違い、上あごと下あごの両方にキバを持つ、特徴的なルックスをしていた。岐阜県可児市の標本は一八〇〇万年前から一九〇〇万年前くらいのもので、この時期の日本は、まだ世界の他の部分と行き来できる状態だったことを示唆している。

少し時代が下ると、アジア特有のゾウも見つかり、さらにそれが日本の中で変わっていく様子が追える。ゴンフォテリウム同様、上あごと下あごの両方にキバを持つステゴロフォドンだ。

「ステゴロフォドンは、日本では、宮城県船岡町で発見されたのが最初で、その後、各地で見つかっています。頭骨については宮城県塩竈《しおがま》と茨城県から出ていて、他のものは歯だけです。ただ、歯を見ていくとおもしろくて、古いやつは大きくて、それから途中段階でだんだん小さくなってきて、一番最後、一六〇〇万年前ぐらいになると、かなり小さくなっているんです。これについては、島嶼《とうしょ》環境で矮小化《わいしょうか》していくのを追えるという論文が出ました」

日本列島が「バラけていく」時期に、ゾウたちも日本列島固有の島嶼的な変化をしていったというのだから興味深い。いずれにしても、これらが日本におけるゾウの歴史の「第一章」にあたる部分だ。

### ゾウの楽園が花開く

一六〇〇万年前から六〇〇万年前までの間、日本列島では、陸の生き物の化石記録がほとんどない時期がある。当然、ゾウの化石もその時期は出ない。

では、そのままゾウは消えてしまったのかというと、決してそんなことはなくて、さらに多様なゾウの時代が花開く様子がふたたび化石記録を通じて明らかになる。それも、当時の日本は「ゾウの楽園」だったのではないかというくらいの多様さだ。

「とにかく化石記録がないのでそこはすっ飛ばしまして、六〇〇万年ぐらい前になるとツダンスキーゾウというのが見つかります。当時、アジア大陸にいた大きなゾウなんですがそれが日本に渡ってきているんです。渡ってきた時点では、大陸と日本がつながっていたのかもしれないんですが、その後、しばらくまた切り離されて交流がない状態が続き、何百万年かにわたって日本で独自に進化していきます。ミエゾウ、ハチオウジゾウ、アケボノゾウという系列。ハチオウジゾウは二〇一〇年に命名されたばかりです。原始的なアケボノゾウという位置づけで別種にする必要はないという説もあります」

この系列は、ステゴドンというアジアに広く分布していたグループに属する。長く前に突きだした牙が特徴的で、博物館で展示されていると見栄えがする（とぼくは思う）。牙と牙の間が狭くて、鼻が間を通らなかったのでは、と言われるものもある。前に出てきたゴンフォテリウムやステゴロフォドンよりは、現生のゾウに近いが、分類学的に言うと「ステゴドン

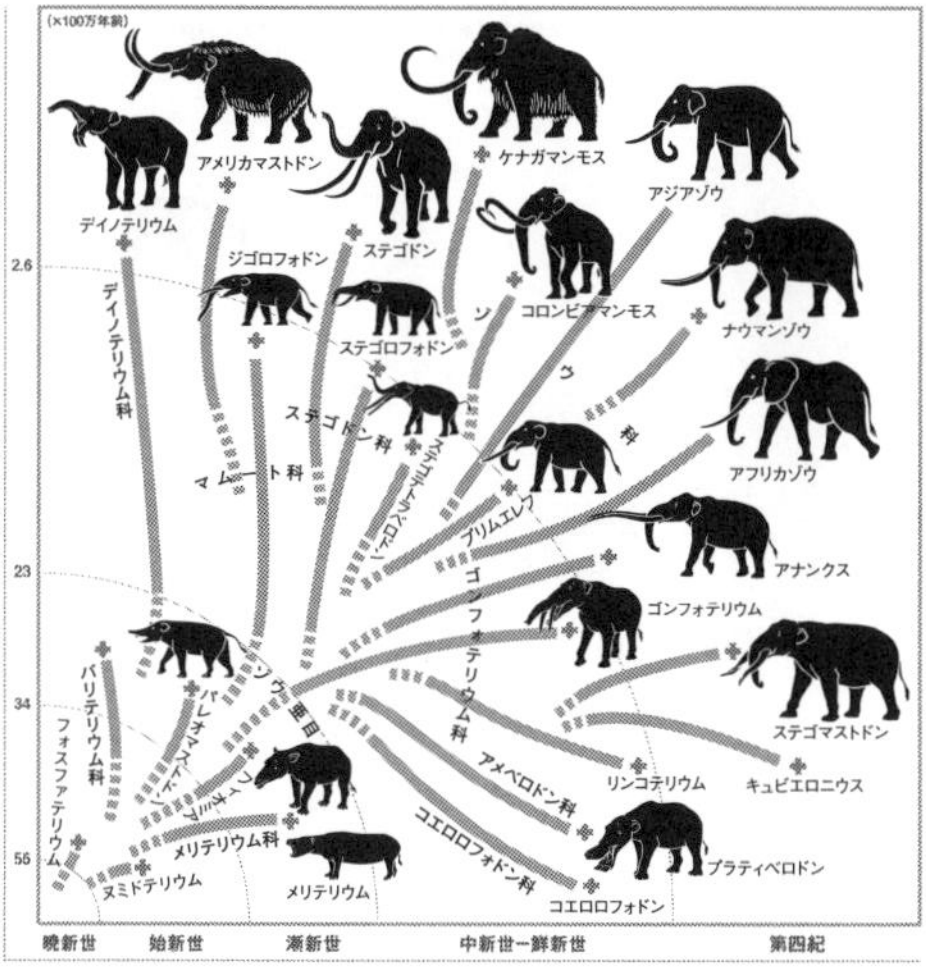


ゾウ類の系統図。（『新版　絶滅哺乳類図鑑』（丸善出版）の図を一部改変）

科」として、「ゾウ科」と区別されるようだ。しかし、ここではほかにもいろいろな種類が出てくるので、分岐図を見て系統関係を理解した方がいいだろう。

「日本のゾウ」として関係してくるものとしては、まず原始的なゾウの先祖から、ゴンフォテリウムが分かれて、その後、ステゴロフォドンや、さらにステゴドンが出る。さらに、アジアゾウ類が分岐して、その先にマンモスの仲間と現生アジアゾウの仲間が分かれる。現生アジアゾウとナウマンゾウは、ほとんど「きょうだい」のような近縁さだ。

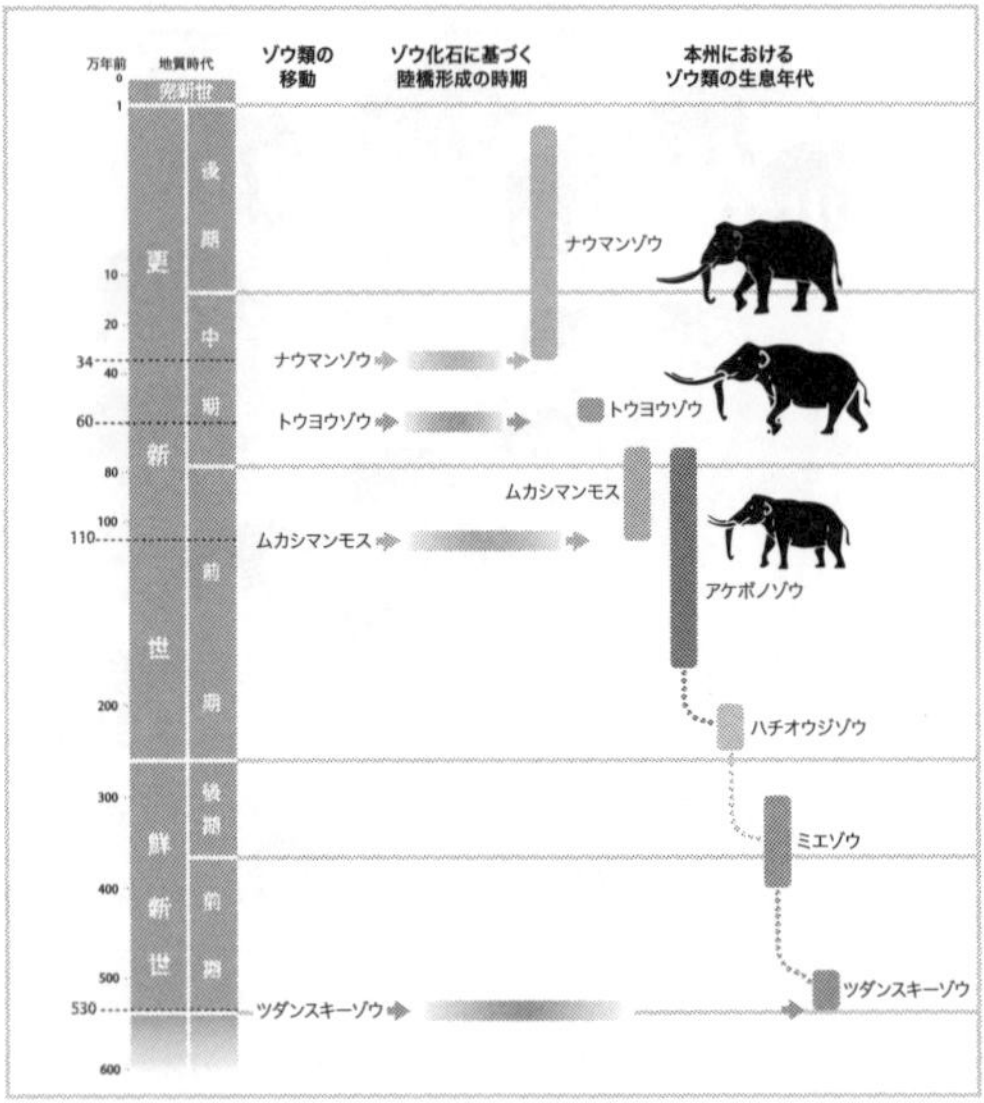


日本におけるゾウの変遷。（「太古の哺乳類展」より）

さて、ミエゾウ、ハチオウジゾウ、アケボノゾウの系列の話に戻る。これらは、日本各地で見つかっており（例えば、ミエゾウは三重県をはじめ、長崎県、福岡県、大分県、島根県、長野県、東京都でも発見されている）、しかし、大陸からは見つかっていないという意味で、日本固有種だと考えられている。しばしば地名を冠していることからも、各地の「ご当地ゾウ」でありつつ、「日本固有のゾウ」でもある。そして、島環境らしく、時代が下るに従って、体が小さくなっていく。ご先祖のツダンスキーゾウに近いミエゾウは肩高が四メートルもの巨軀《きょく》だったのに対して、アケボノゾウは二メートルだ。

「アケボノゾウは、七〇万年くらい前まで生きのびていたんですけど、そこで絶滅してしまいます。実はその一歩手前の一一〇万年前ぐらいのときに、大陸からまた全く今まで日本にいなかったゾウが入ってくるんです。これがムカシマンモスと呼ばれているやつです。これまでいろいろな名前でよばれていた化石がふくまれており、シガゾウもそのひとつです。だから、この時期、さっきのアケボノゾウと、国内で二種類生存していたことになります。ムカシマンモスも、アケボノゾウと同じ時期七〇万年前に絶滅してしまうんですが、その後、今度は六〇万年ぐらい前にトウヨウゾウというのが入ってきます。トウヨウゾウは、一〇万年ぐらいしか日本にはいなかったんです」

ムカシマンモスは、その名の通り、のちのマンモスにつながるもので、トウヨウゾウは、ミエゾウ、ハチオウジゾウ、アケボノゾウと同様のステゴドン類だ。ミエゾウ、ハチオウジゾウ、アケボノゾウは日本固有と考えられているが、トウヨウゾウは大陸でも化石が出るため、アケボノゾウの絶滅後、新たに日本に入ってきたものとされる。なお、トウヨウゾウは、牙の長いステゴドン的な形状に復元されることが多いが、見つかっているのは臼歯なのではっきりしたことは分からない。臼歯の大きさは、ミエゾウとアケボノゾウの中間くらいだそうだ。

それにしても、なんとも目まぐるしい！

もちろん、短くとも一〇万年単位で起きたことなので、リアルタイムで見れば「目まぐるしい」などという感想を持ちようもないわけだが。

「トウヨウゾウがいなくなって、その後、今度三四万年前にかの有名なナウマンゾウが入ってきます。このナウマンゾウは割と頑張って、今から二万年ぐらい前までは何とか生きのびます。トウヨウゾウもナウマンゾウも、朝鮮半島か東シナ海がつながった時に来ているんですが、実はサハリンから北海道に入ってきたルートがあって、そこを通ってきたのがマンモスですね。マンモスも最後の氷期が終わって急激に暖かくなると、もう、とても日本国内で生きてられないので絶滅してしまうか、サハリンを通ってまたもとへ戻っていったか、とにかく日本から消えます。これで、一応日本で知られているゾウの化石ほぼ全体の話になります」

## ゾウが多様だった時代にはサイもいた！

駆け足だったけれど、いかがだろうか。

今、日本で発掘されているゾウだけで、これだけの話になる。このように時系列、あるいは空間的な分布を考えつつ整理すると、実に壮観だ。

「実はそんなにたくさんの種類がワーッといた時代っていうのはなくて、同時には二種類くらいが最高です。でも、今日本には野生のゾウがいないのに、これだけのゾウの歴史が日本列島の中にあると。そういう意味で、ちょっと大げさなタイトルですけど、特別展でも「ゾウの楽園」というタイトルのコーナーを作ったんです」

なお、一連のゾウの歴史の中で、ぼくが惹《ひ》かれるのは六〇万年ほど前のステゴドン、トウヨウゾウがいた時代だ。

「ゾウというのは、ケナガマンモスのように寒冷気候に適応していたものもいるんですが、基本はアフリカ起源で、どちらかというと熱帯、亜熱帯系の動物なんです。トウヨウゾウは割とあったかいところのやつらしくて、中国にはたくさん化石記録があるんですけど、南のほうに多いんですね。そして、トウヨウゾウが来た頃というのは、間氷期の中でも特に暖かくて、その時、サイも入ってきているんですよ」

日本列島にサイ！　それも、トウヨウゾウと同じ時期に！

上の写真で手にしているのは「太古の哺乳類展」でも展示された、江戸時代に発見されたトウヨウゾウの上あご臼歯の化石。現在の滋賀県大津市にあたる場所で発見された記録などが直接記された歴史的な標本。

実はぼくはこの点に強く反応してしまう。ゾウとサイが同時にいる景観は、特別に感じられてならないのだ。今のアフリカの巨大動物相を思わせるからという単純な理由だが、「じゃあ、なぜ、今はいないんだろう」という疑問とともに、心の琴線に触れるようだ。

## 謎の絶滅大型哺乳類デスモスチルス

古代のゾウやサイに思いを馳《は》せると、基本的には、とても楽しい気分になる。ゾウもサイも、ぼくたちはよく知っており、その古代種と聞くと、想像力が掻《か》き立てられ、頭の中にイメージが立ち上がる。

デスモスチルスの頭骨の化石。円柱状の歯が束になっている。（北海道大学総合博物館蔵・「太古の哺乳類展」より）

その一方で、想像が及ばないような、謎めいた大型哺乳類の化石が、日本からたくさん出てくるとしたらどうだろう。それも楽しいに違いないし、実際、そんな謎の絶滅哺乳類が日本列島にいたことが分かっている。

デスモスチルス類は、日本からカリ

フォルニアにかけての北太平洋沿岸地域でだけ、化石が発見される大型絶滅哺乳類だ。特に日本での化石が、点数としても種類としても、圧倒的に多い。水辺の生き物だということは間違いないので、よくみる復元画ではカバを思わせる雰囲気に仕立ててある。

日本語では束柱類《そくちゅうるい》という。その名の通り、円柱を束ねたような歯が特徴で、ひと目みれば、その特殊な歯並び（？）は忘れられなくなる。本当に「柱」のようだし、なにかの鉱物の結晶のようにも見える。いったいこの歯で何を食べていたのか。現生動物に似た者はおらず、謎だ。おそらく海岸で活動していたそうなのだが、それも謎だ。現生の動物では、ゾウなどの長鼻類やジュゴンなどのカイギュウ（海牛）類に近いと言われているけれど、厳密なことはやはり謎だ。デスモスチルス類の代表的な種類のひとつ、パレオパラドキシアの名前は、「古生物学上（パレオ）のパラドックス」という、古生物学者のとまどいをそのまま反映した名になっている。

そして、そんな謎だらけのデスモスチルス類は、様々な意味で「日本」と固く結びついている。

「デスモスチルス類は、動物のグループとしては非常に小さいんですけれども、なぜか日本が世界初のとか、世界で一番たくさんのとか、そういう世界一の記録をいくつも持っている

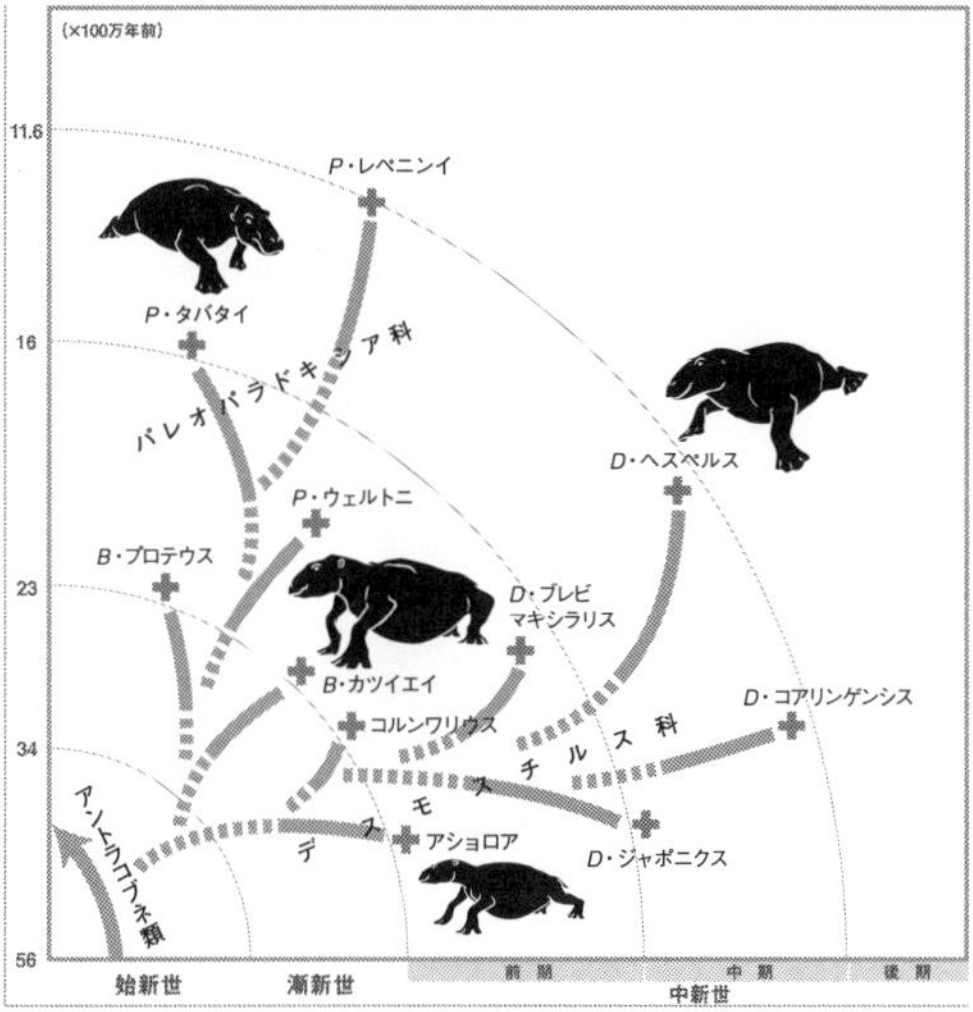


束柱類の系統図。P. はパレオパラドキシア、B. はベヘモトプス、D. はデスモスチルスを指す。（「太古の哺乳類展」より）

んです」

冨田さんはデスモスチルス類の系統を示す図表を見ながら説明してくれた。おっしゃる通り「大きくない」グループながら、そこに記されているもののほとんどが何らかの形で「日本」と関係している。図表で、ひとつ、注釈しておいた方がいいのは、デスモスチルスというのが、このグループで最初にみつかった化石に付けられたもので、グループ全体を示す「デスモスチルス類」（束柱類）の名にも採用されていること。混乱しやすいので、ここから先はグループとしては「束柱類」で統一す

デスモスチルスの復元図。(「太古の哺乳類展」より)

パレオパラドキシアの復元図。(「太古の哺乳類展」より)

る。

「まず、束柱類の世界初の頭骨化石は、明治時代、岐阜県瑞浪《みずなみ》市で見つかったデスモスチルスの頭骨でした。そのあと、デスモスチルスの世界初の全身骨格が南サハリンで見つかって、戦後になって、また今度は岐阜県の土岐市で、世界初のパレオパラドキシアの全身骨格が見つかっています。しかも、一九七〇年代、八〇年代にも山形、福島、それから岡山、群馬とか、あちこちでパレオパラドキシアの全身骨格が見つかってきてるんです。それに引きかえ、日本以外では、カリフォルニアで一頭だけ全身骨格が見つかってるんですけど、あとはみんなバラバラの歯とか、せいぜい顎だけなんです」

束柱類の名のもとになったデスモスチルスと、「古生物学の謎」パレオパラドキシアは、グループの中のダブルエース（?）というべき存在だ。これらの良好な化石は、日本でばかり産出する。比較的、動物化石に恵まれない土地であるこの島国で、体長二〜三メートルもある絶滅大型哺乳類のグループを名実ともに「独占」するようなことが起きているのである。

しかもそれだけではない。

「グループを代表するパレオパラドキシアとデスモスチルスは、一二〇〇万年くらい前、束柱類が消えてしまうまでいた種類ですが、むしろ、祖先にあたるものが分からなかったんですね。それが、その祖先にあたるベヘモトプスという種類の顎と牙がオレゴンで見つかって、その後全身骨格が北海道の足寄《あしよろ》で見つかりました。さらに、アショロアという種類の全身骨格もまた足寄で見つかりました。これは二五〇〇万年とか二八〇〇万年というかなり前のものです」

というわけで、束柱類というグループ全体のあらましが、なにやら日本で発見された化石によって、だいたい言えてしまう希有《けう》な状況にあるわけだ（系統図参照）。

### 束柱類は謎だらけ

束柱類と日本のつながりについてはよく分かった。しかし、謎は多い。

「ひとつは、束柱類の起源、ですね。ゾウなどの長鼻類、それからイワダヌキ（ハイラックス）類やカイギュウ類などと近いグループだっていわれてるんですよね。ところが、束柱類だけ化石記録が出始めるのが、三〇〇〇万年前から二八〇〇万年前ぐらい。他の連中はもっとずっと古いところから化石が見つかってるのでかなり追えるんですけど、この仲間だけは二八〇〇万年前までしか戻れない。そして、一二〇〇万年前ぐらいを最後にして、また全部いなくなってしまう。だから、いつ、どこで、どういうふうにして起源しているのかがわか

デスモスチルスの骨格標本。（北海道大学総合博物館蔵・「太古の哺乳類展」より）

らない」

起源の謎に加えて、体も不思議な作りになってい
る。

「まず、前腕の尺骨と橈骨《とうこつ》が癒合してしまっていて、
手を動かすときに制限があって、腕全体を使わない
とうまく動かせないいんじゃないかとか、変なことに
なっているんです」

尺骨と橈骨というのは、肘と手首の間にある長い
骨のことだ。自分のその部分を触ってみると、一本
ではなくて二本に分かれていることが分かるだろう。
それによって、肘から先の回転運動であるとか、複
雑な動きができるようになっている。しかし、それ
がくっついてしまったら、肘と手首の間がただの
「棒」のようになってしまう。

「おまけに、歯もです。小指ぐらいの筒状のものが

六個から七個、一つの塊になっていて、それが一本の歯なんですね。だから柱が束になっているという意味で束柱類っていうんですけど。その歯、むちゃくちゃ分厚いエナメル質を持っていて、それで一体何をどうやって食べてたのかっていうのも、よくわからないと」

こんなふうに謎だらけの束柱類であり、今後の研究が待たれる。

しかし、それにしても……。

なぜ、日本ばかりから重要な束柱類の化石が発見されるのだろう。

「彼らはいずれにせよ海岸に棲《す》んでいる動物で、あんまり陸の上は得意じゃないんですね。基本的には、日本のあたりが多島海化した時代に生きていた。だから、海岸にいっぱい棲める場所があったんです。その当時、日本は全体的にわりと暖かかったんです。今、沖縄にしかないようなマングローブが日本全体にあった時代なので、そんなところに彼らがいっぱい棲んでいて、ちょうど海岸ですから、堆積物がたまりやすいので、死んだやつは骨がバラバラになる前にまとまって埋まって、化石が見つかってるんじゃないかなと」

北米、カリフォルニア州やオレゴン州でも化石はみつかるが、そちらは海流が強く、堆積環境が全くちがったらしい。骨がばらばらになって、篩《ふる》い分けられ、同じ産地から、デスモスチルスの歯ばかりが何千個も出てくる、ということがあるそうだ。

なにやら、不思議な理由で、日本と束柱類は結ばれているようだ。

哺乳類の中で、実に小さなグループなのだが、ある特定の時期、特定の場所で、不思議な体の仕組みをもって繁栄した者たちの化石を、世界で一番、身近に見ることができるのは幸運だ。一級の研究対象があるのだから研究者の数もそれなりに多く、様々な謎が解き明かされる時、それを一番先に知ることになるのは、我々、日本に住む者だろう。

## 「原始的」ではなかったアマミノクロウサギ

冨田さんは国立科学博物館の「地学研究部」の一員で（取材当時。現在は名誉研究員）、つまり、今は生きていない化石になった哺乳類の専門家だ。その一方で、もっと幅広く、今を生きる動物を含めて、哺乳類の系統の研究にも深く関わってきた。

研究室の書架にアマミノクロウサギの下顎がぽんと置いてあった。それについて問うと、冨田さんはぱっと顔を輝かせた。

「私自身は、小型哺乳類、ウサギ類や齧歯類《げっし》なんかを研究してましてーー」と古生物学者としての御自身のキャリアを語ってくれた。

「私、横浜国立大学出身なんですが、もう化石の勉強がしたくてしたくて、当時、その勉強ができる大学院は京都大学しかなかったんです。でも、落ちてしまったので、英語は苦手だったけど勉強して、アメリカのアリゾナ大学に行きました。そこの先生がたまたま小型哺乳類を専門にしていたんです。修士論文では、古地磁気学を使って暁新世《ぎょうしんせい》の化石が入っている地層をうまく合わせて、年代をピチッと決めるプロジェクト。ただ暁新世の化石は日本では出ないので、日本に帰るのを見越して、ドクターでは鮮新世《せんしんせい》という新しい時代の化石産地の小型哺乳類をやりました。一番たくさん出てくるのは齧歯類です。あとはウサギ類、食虫類、コウモリも出てくる。古地磁気学で年代をかなりきちっと決めて、見つかった化石を記載する。そこまでやって、日本に帰ってきました」

暁新世とか、鮮新世とか、いわゆる「地質学的年代」が出てきた。

暁新世というのは、恐竜がいた中生代の白亜紀に続く比較的古い年代で、六六〇〇万年前から五六〇〇万年前くらいだ。「恐竜後」の世界である古第三紀の中では、一番最初の（一番古い）時期だ。日本ではその頃の地層がほとんどなく化石も少ない。一方、鮮新世は五三〇〇万年から二六〇〇万年くらい前で、日本でも各地で化石がみつかる。たとえば、日本にいたゾウの中でも、各地で見つかるミエゾウは鮮新世の生き物だ。

冨田さんは、日本に研究者のいない古第三紀の古い時代について詳しく（修士時代の研究）、かつ、新しい時代の小型哺乳類を専門にしている(博士論文の研究)という独特の特徴をもった研究者としてスタートすることになった。北海道で発掘されたクシロムカシバク(その名の通り釧路《くしろ》で発掘された古いバク類)など、古第三紀の古めの化石は冨田さんが見るという流れが出来上がった。

「一方で、アリゾナでの博士論文以来、ウサギにずっと興味を持っていました。二一世紀になったばかりの頃、中国の先生がたまたまウサギの化石をいっぱい見つけたので、「冨田さん、ウサギやりません?」と誘われまして、「ぜひやらせてくださいよ」って即答しました。それをよく見たところ、アマミノクロウサギの祖先にあたる属でプリオペンタラグスというものだったんです。これ、実は私がアメリカでやっていたのともつながっていて、中国と北米、日本のアマミノクロウサギの系統が解明できたんです」

なお、アマミノクロウサギについては、「原始的な特徴を残したウサギ」「ムカシウサギの仲間」といったことが語られる。ぼくが小学生の時に、学校で読んだ教科書、あるいは副読本にはそのような記述があったと記憶するし、今もウェブで検索するとその痕跡がある。しかし、冨田さんによると、これは一九六〇年前後に学問の世界では当たり前になっていた分類や系統関係が、日本ではアップデートされず、二〇世紀中ずっと残ってしまった結果らしい。「ムカシウサギの仲間」というのは、すでに絶滅しているグループで、現生のものはすべて「ウサギ亜科」というのが、今の考え方だ。現生のウサギの中では、比較的古い方という言い方ならまだしも「ムカシウサギの仲間」は明確に間違いだそうだ。

冨田さんは、さらにウサギの系統関係について、決定的な研究をしている最中だ。

「系統関係を明らかにしようとすると、結局今生きているウサギを全部調べないと駄目なので、じゃあ、やるか、と。七〜八年ぐらい前から、時々、ロンドンの大英自然史博物館へ行って、現生のウサギ類の頭と顎をせっせと調べていたんです。で、それもついにおととし、データを取るのは終わったので、これから分析をしていくところです」

というわけで、冨田さんが中心になり、ウサギの系統関係が、近い将来より強固に確かめられたり、書き換えられる可能性がある。いわゆる系統解析という手法だ。

## ウサギを研究する醍醐味

ところで、なぜ、ウサギ？　と思う。

小型哺乳類の化石を専門に研究しつつ、ウサギに引き寄せられていったのには理由があるのだろうか。ウサギについて語る冨田さんがとても楽しそうなので、思わず聞いた。

「ウサギが面白いのは――そうですね、大体、繁殖するときはね、ものすごいガーッて増えるくせに、いったん何か状況が悪くなると一挙に絶滅するんですよね。そういう、変な繁殖パターンをするところですとか。あと、これ、人に言うと、「えーっ」と言われることがあるんですけど、今から八〇〇万年前以前のユーラシアには、全くウサギがいなかったんですよ。ナキウサギはいたんですが、ウサギは全くいなかった」

これは確かに意外だ。ウサギがいない世界！　唱歌の「ふるさと」で言及される「うさぎおいしかのやま」は、わりと最近のことなのだ。まあ、人類がユーラシアに到達した頃には、追うべきウサギはすでにあちこちに存在したのだろうが。

「二〇〇〇万年くらい、相当昔までいくと、すごく原始的なウサギがユーラシアにいたんですけど、いったんいなくなるんです。それが、八〇〇万年前になると、またユーラシアで一斉にウワーッと化石が見つかるんです。それはなぜかって、北アメリカにはその間もウサギがいて、そのうちのある一派がベーリング海峡を越えてアジアに入ってきた。さっきいった独特の繁殖の仕方で、一気にユーラシアに広がるんですよ」

今のウサギは新大陸起源？　一般に、旧大陸から新大陸へ渡った生き物は多く、逆は少ない印象がある。現生のウサギはそれに逆行して、新大陸で進化し、旧大陸に進出したのだろ

うか。化石証拠によっては、このあたりは、今後、ひっくり返ったり、「行ったり来たりしていた」ということにもなる余地がありそうだ。

「これ、たかがウサギなんですけど、本当、面白いんですよ」

とやはり冨田さんの目が輝くのだった。

## 巨獣たちはなぜ消えたのだろう?

さて、冨田さんの研究をぐるりと一周、見せてもらった後で、ふたたび、最初の話題だった、日本のゾウやサイといった、巨大動物相の話に戻ろう。

ぼくたちが知っている日本の動物たちからは想像できないような、まるでアフリカのような動物たちがいた世界はどこに行ってしまったのだろう。二万年前から三万年前までは、ナウマンゾウのような「超大物」

の他にも、ヒョウやオオツノジカやヘラジカやバイソンなど、巨大動物相があった。北海道にはマンモスもいた。もちろん、今の日本列島にも、シカやツキノワグマやヒグマ（北海道）やキツネやタヌキやニホンザルもいるわけだが、やはりかつてに比べると地味だ。

本当にどうして、巨大な哺乳類たちの世界は消えてしまったのか。

「ええっと、これ、まずはアメリカの話からしてもいいですか」と冨田さんは前置きして、この手の話題でよく引き合いに出される南北アメリカから説き起こした。

「北アメリカと南アメリカでは、いろんなゾウもいたし、大きなラクダもいたし、ウマもいたし、オオナマケモノもいました。それらがほとんど、今から一万一〇〇〇年前ぐらいにバタバタッていなくなるんです。それが我々哺乳類化石の世界では七不思議の一つになってまして」

有力な仮説は二つあるそうだ。

「一つは、最後の氷期が終わると急激にあたたかくなりますから、その環境変化が問題だったのではないか、という説です。だけど、これが本当なら、大型動物だけが絶滅するのはおかしいじゃないかという反論があります。というのも、小型哺乳類、具体的にはネズミとかビーバーとかですが、ああいう小さいやつがどれだけ減ったかというと、五％から一〇％ぐらいなんです。一方で、大型哺乳類は七〇％ぐらい絶滅してるんです。環境変化説は、これを説明しなきゃなりません」

ここでいうパーセンテージは、「種の数」で計算している。北米の化石は非常によく調べられているので、こういった数字を出して意味がある程度には信頼できるとされているそうだ。

「──もう一つは、人が狩ったせいだ、という説ですね。オーストラリアでは、五万年前にアボリジニの祖先がやってきて四万五〇〇〇年くらい前にバタバタッと大きな哺乳類がいなくなりました。だから、やっぱり南北アメリカも人間のせいだろうっていう意識が強いんです。ただ、ネイティヴアメリカンの祖先がアジアからアラスカに渡ったのは、三万年ぐらい前。それは氷河時代の真っただ中なので、南に進めたのは、今から一万二〇〇〇年ぐらい前なんです。南へ下ってきた人間がほんの少し来たからといって、一〇〇〇年後の一万一〇〇〇年前にすぐに狩り尽くすっていうことは不可能ではないかという疑問が出てきます」

「──さらにユーラシア大陸との比較です。新世界で大型動物が七〇％絶滅したのに、旧世界では二〇～三〇％なんです。ユーラシア大陸では、人間と大型動物はずっと前から共存してきてて、お互いに相手がどれぐらい怖いのか、あるいは人間側から見れば、どれだけ殺したら絶滅してしまうのかっていうのは感覚的にわかっていたので、狩り尽くすなんてことはなかった。むしろ、環境変動の方が大きかったのでは、と言われます。アメリカ大陸での絶滅が人間のせいだとしたら、人間たちが食料のためだけに殺したんではなくて、狩りをすること自体をエンジョイしちゃったんじゃないかって話まで出てきます」

ここまで来ると、かなり「解釈」の問題も入ってくる。

結局、よく議論されるアメリカ大陸の大量絶滅について、環境変動か人為的なものか、というのははっきり分からない、というのが現状のようだ。狩猟圧の影響は大きかったかもしれないし、それほどでもなかったかもしれない。「人か環境か」という問いの立て方自体が、適切でない可能性もある。直接見ることができない過去のことを議論しているわけで、環境変動、人による影響、あるいはその他の要因がどれだけ効いたのか、出来るだけ定量的に語れる指標を見つけつつ、これからも議論されていくだろう。

### 日本での絶滅には二つのフェーズがあった

さて、ここまでが、一万年前から二万年前にあった南北アメリカでの哺乳類の大量絶滅の概観。

では、日本ではどうなのか。

実は、こと「日本の大量絶滅」については、もう少し単純に説明できるのでは、というのが冨田さんの立場だ。

「日本で今まで化石の年代を調べるのは結構難しくて、特にアメリカでやってるような一万一〇〇〇年とか、一万五〇〇〇年とかっていう、そういうレベルの正確な年代は測定されてこなかったんです。予算的な問題、それから良いサンプルがないと正しい答えがでないという問題。でも、いろんな人が試みてはいて、その最新の成果が二〇一二年に論文にまとめられました。首都大学東京の岩瀬彬《あきら》先生（現在は明治大学）たちの研究です。その結果を元に考えると、実は日本の大型動物の絶滅っていうのは二つのフェーズがあったという話になるんです」

二つのフェーズというのは、別々の時期に別の理由で絶滅した二群の動物がいるということだ。

ひとつは、ナウマンゾウに代表される、ナウマンゾウ・ヤベオオツノジカ動物群と呼ばれるもの。これは本州側の温帯地域に住んでおり、暖かい時期には北海道に渡ったこともある。

一方で、寒い地域から北海道に入ってきた、マンモス、ヘラジカ、バイソンなどのマンモス動物群。マンモスは北海道から本州には渡らなかったが、ヘラジカ、バイソンは寒い時期に本州に進出した。同時代的にはこれらの二つの動物群が地域ごとに棲《す》み分けていた。

「いろんな動物化石の年代で信頼できるものだけを調べていくと、一番最後のナウマンゾウが二万三〇〇〇年前ぐらいまでなんですね。一方で、マンモスは一万五〇〇〇年とか一万六〇〇〇年前とか。バイソン、ヘラジカなんかはもっと新しい年代が出てます。で、どうもナウマンゾウは最後の氷期のピークに向けてどんどん寒くなっていた二万三〇〇〇年前ぐらいから二万年前あたりに絶滅したんじゃないか、と。そして、一万九〇〇〇年前に氷期がピークになった後、一万六〇〇〇年前ぐらいまで寒いんですが、その後ガーッと暖かくなってますから、そのときに逃げ切れなかったマンモス動物群はそこで絶滅したし、サハリンを通って北へ逃げることができた連中は逃げてしまったのかもしれないという話なんです」

これが二フェーズの絶滅の説明だ。

氷期がピークに向かう時に、ナウマンゾウ・ヤベオオツノジカ動物群が滅び、氷期のピークがすぎて急激に暖かくなる中で、マンモス動物群が滅んだ。別の方向の環境変動によって篩い落とされた、というようなイメージである。

日本というとても局地的な島々にだけ着目しているので、この場合は、移動して分布域が変わっていなくなるのも、化石研究の観点からは「絶滅」に見える。いずれにしてもナウマンゾウもマンモスもその後、世界中から姿を消すわけではあるが、こと日本の大型哺乳類の絶滅は、人が狩り尽くしたというよりも、環境変動の方が大きく効いていることは間違いなかろうと、今は多くの研究者が思っているとのこと。

もちろん、ぼくらがイメージするような「狩りが大好きな原始人」みたいな人たちが、残っていた最後のマンモスを狩って、その地域からはマンモスはいなくなった、というような個別のケースは充分有り得る。でも、それを我々が知ることはできないし、「最後のマンモス」に至るまでに、環境変動が大きく効いていたというのが有力、ということだ。

大量絶滅をめぐっては、よく「人間の罪深さ」が語られることが多い。しかし、妙に教訓を引っ張り出すよりも、まずは現象を理解しようといった姿勢を、冨田さんの語り口から感じるのだった。

## 研究を志す若い人へ

冨田幸光

小学六年の時に、理科室で見つけた貝の化石に魅せられ、化石採集に明け暮れた中学、高校。大学の恩師が骨の化石の専門家だったことから哺乳類の化石にはまり、アメリカの大学院に留学した。日本から骨化石の研究で留学したのは戦後で二人目だったおかげで、国内唯一の博物館に就職でき、そのまま研究と展示、教育活動を続けて定年を迎えた。まさに「化石が好き」だけで、半生以上を過ごしてきた。私のような定年を過ぎた人はもちろん、最近の若手の学者でも、研究者になるには「好き」と「情熱」さえあれば、あとは突き進むだけみたいなことを、若い人向けに書く人を見かけるが、最近の状況は少し違うのではないかと心配している。私が大学に入った頃の大学進学率は一五％程度だったが、最近は大学院への進学率がそれに近くなり、結果として研究者を目指す人も激増している。加えて、学問の世界はますます国際化している。今の激しい競争社会で研究者になるには、好きと情熱はもちろんだが、専門分野以外の基礎学力と外国語の能力で、自分を武装しておくことが必要ではないかと考える。そのハードルを乗り越えてでも、研究に挑みたいと思う若い人たちが出てきてくれることを期待している。

### 図版提供

川端裕人：21頁、26頁、33頁、35頁上、35頁下、36頁、39頁、53頁上、53頁下

内海裕之：15頁、71頁、77頁、86頁、163頁、177頁、185頁、207頁、259頁

飯野亮一：119頁、130頁

的野弘路：263頁、278頁上、278頁下、292頁

伊藤丙雄：270頁、282頁上、282頁下

岡本泰子：273頁、274頁、281頁

# ちくまプリマー新書

226
何のために「学ぶ」のか
――〈中学生からの大学講義〉1
外山滋比古　前田英樹　今福龍太
大事なのは知識じゃない。正解のない問いを、考え続けるための知恵である。変化の激しい時代を生きる若い人たちへ、学びの達人たちが語る、心に響くメッセージ。

227
考える方法
――〈中学生からの大学講義〉2
永井均　池内了　管啓次郎
世の中には、言葉で表現できないことや答えのない問題がたくさんある。簡単に結論に飛びつかないために、考える達人が物事を解きほぐすことの豊かさを伝える。

228
科学は未来をひらく
――〈中学生からの大学講義〉3
村上陽一郎　中村桂子　佐藤勝彦
宇宙はいつ始まったのか？　生き物はどうして生きているのか？　科学は長い間、多くの疑問に挑み続けている。第一線で活躍する著者たちが広くて深い世界に誘う。

229
揺らぐ世界
――〈中学生からの大学講義〉4
立花隆　岡真理　橋爪大三郎
紛争、格差、環境問題……。世界はいまも多くの問題を抱えて揺らぐ。これらを理解するための視点は、どうすれば身につくのか。多彩な先生たちが示すヒント。

ちくまプリマー新書347

科《か》学《がく》の最《さい》前《ぜん》線《せん》を切《き》りひらく！

二〇二〇年三月十日　初版第一刷発行

著者　川端裕人（かわばた・ひろと）

装幀　クラフト・エヴィング商會

発行者　喜入冬子

発行所　株式会社筑摩書房
東京都台東区蔵前二‐五‐三　〒一一一‐八七五五
電話番号　〇三‐五六八七‐二六〇一（代表）

印刷・製本　中央精版印刷株式会社

ISBN978-4-480-68372-4 C0240 Printed in Japan